COLLECTION IDÉES

Gaston Bachelard

La psychanalyse du feu

Gallimard

AVANT-PROPOS

Il ne faut pas voir la réalité telle que je suis

Paul Eluard.

I

Il suffit que nous parlions d'un objet pour nous croire objectifs. Mais par notre premier choix, l'objet nous désigne plus que nous ne le désignons et ce que nous croyons nos pensées fondamentales sur le monde sont souvent des confidences sur la jeunesse de notre esprit. Parfois nous nous émerveillons devant un objet élu ; nous accumulons les hypothèses et les rêveries ; nous formons ainsi des convictions qui ont l'apparence d'un savoir. Mais la source initiale est impure : l'évidence première n'est pas une vérité fondamentale. En fait, l'objectivité scientifique n'est possible que si l'on a d'abord rompu avec l'objet immédiat, si l'on a refusé la séduction du premier choix, si l'on a arrêté et contredit les pensées qui naissent de la première observation. Toute objectivité, dûment vérifiée, dément le premier contact avec l'objet. Elle doit d'abord tout critiquer : la sensation, le sens commun, la pratique même la plus constante, l'étymologie enfin, car le verbe, qui est fait pour chanter et séduire, rencontre rarement la pensée. Loin de s'émerveiller, la pensée objective doit ironiser. Sans cette vigilance malveillante, nous ne prendrons jamais une attitude vraiment objective. S'il s'agit d'examiner des hommes, des égaux, des frères, la sympathie est le fond de la méthode. Mais devant ce monde inerte qui ne vit pas de notre vie, qui ne souffre d'aucune de nos peines et que n'exalte aucune de nos joies, nous devons arrêter toutes les expansions, nous devons brimer notre personne. Les axes de la poésie et de la science sont d'abord inverses. Tout ce que peut espérer la philosophie, c'est de rendre la poésie et la science complémentaires, de les unir comme deux contraires bien faits. Il faut donc opposer à l'esprit poétique expansif, l'esprit scientifique taciturne pour lequel l'antipathie préalable est une saine précaution.

Nous allons étudier un problème où l'attitude objective n'a jamais pu se réaliser, où la séduction première est si définitive qu'elle déforme encore les esprits les plus droits et qu'elle les ramène toujours au bercail poétique où les rêveries remplacent la pensée, où les poèmes cachent les théorèmes. C'est le problème psychologique posé par nos convictions sur le feu. Ce problème nous paraît si directement psychologique que nous n'hésitons pas à parler d'une psychanalyse du feu.

De ce problème, vraiment primordial, posé à l'âme naïve par les phénomènes du feu, la science contemporaine s'est presque complètement détournée. Les livres de Chimie, au cours du temps, ont vu les chapitres sur le feu devenir de plus en plus courts. Et les livres modernes de Chimie sont nombreux où l'on chercherait en vain une étude sur le feu et sur la flamme. *Le feu n'est plus un objet scientifique.* Le feu, objet immédiat saillant, objet qui s'impose à un choix primitif en supplantant bien d'autres phénomènes, n'ouvre plus aucune perspective pour une étude scientifique. Il nous paraît alors instructif, du point de vue psychologique, de suivre l'inflation de cette valeur phénoménologique et d'étudier comment un problème, qui a opprimé la recherche scientifique durant des siècles, s'est trouvé soudain divisé ou évincé sans avoir été jamais résolu. Quand on demande à des personnes cultivées, voire à des savants, comme je l'ai fait maintes fois : « Qu'est-ce que le feu? » on reçoit des réponses vagues ou tautologiques qui répètent inconsciemment les théories philosophiques les plus anciennes et les plus chimériques. La raison en est que la question a été posée dans une zone objective impure, où se mêlent les intuitions personnelles et les expériences scientifiques. Nous montrerons précisément que les intuitions du feu — plus peut-être que toute autre — restent chargées d'une lourde tare. Elles entraînent à des convictions immédiates dans un problème où il ne faudrait que des expériences et des mesures.

Dans un livre déjà ancien [1], nous avons essayé de décrire, à propos des phénomènes calorifiques, un axe bien déterminé de l'objectivation scientifique. Nous avons montré comment la géométrie et l'algèbre apportèrent peu à peu leurs formes et leurs principes abstraits pour canaliser l'expérience dans une voie scientifique. C'est maintenant l'axe

---

1. *Étude sur l'évolution d'un problème de physique : la propagation thermique dans les solides.* Paris, 1928.

inverse — non plus l'axe de l'objectivation, mais
l'axe de la subjectivité — que nous voudrions
explorer pour donner un exemple des doubles
perspectives qu'on pourrait attacher à tous les
problèmes posés par la connaissance d'une réalité
particulière, même bien définie. Si nous avions
raison à propos de la réelle implication du sujet et
de l'objet, on devrait distinguer plus nettement
l'homme pensif et le penseur, sans cependant
espérer que cette distinction soit jamais achevée.
En tout cas, c'est l'homme pensif que nous voulons étudier ici, l'homme pensif à son foyer, dans
la solitude, quand le feu est brillant, comme une
conscience de la solitude. Nous aurons alors de
multiples occasions de montrer les dangers, pour
une connaissance scientifique, des impressions primitives, des adhésions sympathiques, des rêveries
nonchalantes. Nous pourrons facilement observer
l'observateur, pour bien dégager les principes
de cette observation valorisée, ou, pour mieux dire,
de cette observation hypnotisée qu'est toujours
une observation du feu. Enfin cet état de léger hypno-
tisme, dont nous avons surpris la constance, est fort
propre à déclencher l'enquête psychanalytique.
Il ne faut qu'un soir d'hiver, que le vent autour
de la maison, qu'un feu clair, pour qu'une âme dou-
loureuse dise à la fois ses souvenirs et ses peines :

> *C'est à voix basse qu'on enchante*
> *Sous la cendre d'hiver*
> *Ce cœur, pareil au feu couvert,*
> *Qui se consume et chante.*

> Toulet.

II

Mais si notre livre est facile quand on le prend
ligne par ligne, il nous semble vraiment impossible
d'en faire un ensemble bien composé. Un plan des
erreurs humaines est une entreprise irréalisable.
En particulier, une tâche comme la nôtre refuse
le plan historique. En effet, les conditions anciennes
de la rêverie ne sont pas éliminées par la formation
scientifique contemporaine. Le savant lui-même,
quand il quitte son métier, retourne aux valorisations primitives. Il serait donc vain de décrire,
dans la ligne d'une histoire, une pensée qui contredit sans cesse les enseignements de l'histoire scientifique. Au contraire, nous consacrerons une partie
de nos efforts à montrer que la rêverie reprend
sans cesse les thèmes primitifs, travaille sans
cesse comme une âme primitive, en dépit des
succès de la pensée élaborée, contre l'instruction
même des expériences scientifiques.

Nous ne nous installerons pas non plus dans une
période lointaine où il nous serait bien trop facile
de dépeindre l'idolâtrie du feu. Ce qui nous semble
intéressant, c'est seulement de faire constater la
sourde permanence de cette idolâtrie. Dès lors,
plus sera proche de nous le document que nous
utiliserons, plus il aura de force pour démontrer
notre thèse. Dans l'histoire, c'est ce document
permanent, trace d'une résistance à l'évolution
psychologique, que nous poursuivons : le vieil

homme dans le jeune enfant, le jeune enfant dans le vieil homme, l'alchimiste sous l'ingénieur. Mais comme, pour nous, le passé est ignorance, comme la rêverie est impuissance, voici notre but : guérir l'esprit de ses bonheurs, l'arracher au narcissisme que donne l'évidence première, lui donner d'autres assurances que la possession, d'autres forces de conviction que la chaleur et l'enthousiasme, bref, des preuves qui ne seraient point des flammes !

Mais nous en avons assez dit pour faire sentir le sens d'une *psychanalyse* des convictions subjectives relatives à la connaissance des phénomènes du feu, ou, plus brièvement, d'une psychanalyse du feu. C'est au niveau des arguments particuliers que nous préciserons nos thèses générales.

III

Nous voulons cependant ajouter encore une remarque qui est un avertissement. Quand notre lecteur aura achevé la lecture de cet ouvrage, il n'aura en rien accru ses connaissances. Ce ne sera peut-être pas tout à fait de notre faute, mais ce sera p'utôt une simple rançon de la méthode choisie. Quand nous nous tournons vers nous-mêmes, nous nous détournons de la vérité. Quand nous faisons des expériences *intimes*, nous contredisons fatalement l'expérience objective. Encore une fois, dans ce livre où nous faisons des confidences, nous énumérons des erreurs. Notre ouvrage

s'offre donc comme un exemple de cette psychanalyse spéciale que nous croyons utile à la base de
toutes les études objectives. Il est une illustration
des thèses générales soutenues dans un livre récent
sur *La Formation de l'esprit scientifique*. La péda-
gogie de l'esprit scientifique gagnerait à expliciter
ainsi les séductions qui faussent les inductions. Il
ne serait pas difficile de refaire pour l'eau, l'air, la
terre, le sel, le vin, le sang ce que nous avons
ébauché ici pour le feu. A vrai dire, ces substances
immédiatement valorisées, qui engagent l'étude
objective sur des thèmes sans généralité, sont
moins nettement doubles — moins nettement
subjectives et objectives — que le feu ; mais elles
portent tout de même une fausse marque, le faux
poids des valeurs non discutées. Il serait plus
difficile, mais aussi plus fécond, de porter la psychanalyse à la base d'évidences plus raisonnées,
moins immédiates et partant moins affectives que
les expériences substantialistes. Si nous méritions
de trouver des émules, nous les engagerions alors
à étudier, du même point de vue d'une psychanalyse
de la connaissance objective, les notions de totalité,
de système, d'élément, d'évolution, de développement... On n'aurait pas de peine à saisir, à la
base de telles notions, des valorisations hétérogènes
et indirectes, mais dont le ton affectif est indéniable.
Dans tous ces exemples, on trouverait, sous les
théories plus ou moins facilement acceptées par
les savants ou les philosophes, des convictions
souvent bien ingénues. Ces convictions non discutées sont autant de lumières parasites qui troublent
les légitimes clartés que l'esprit doit amasser dans

un effort discursif. Il faut que chacun s'attache à détruire en soi-même ces convictions non discutées. Il faut que chacun s'apprenne à échapper à la raideur des habitudes d'esprit formées au contact des expériences familières. Il faut que chacun détruise plus soigneusement encore que ses phobies, ses « philies », ses complaisances pour les intuitions premières.

En résumé, sans vouloir instruire le lecteur, nous serions payé de nos peines, si nous pouvions le convaincre de pratiquer un exercice où nous sommes maître : se moquer de soi-même. Aucun progrès n'est possible dans la connaissance objective sans cette ironie autocritique. Enfin, nous n'avons donné qu'une bien faible portion des documents que nous avons amassés au cours d'interminables lectures des vieux livres scientifiques du XVIIe et du XVIIIe siècle, de sorte que ce petit ouvrage n'est qu'une ébauche. Quand il s'agit d'écrire des sottises, il serait vraiment trop facile de faire un gros livre.

CHAPITRE PREMIER

Feu et respect
le complexe de Prométhée

Le feu et la chaleur fournissent des moyens d'explication dans les domaines les plus variés parce qu'ils sont pour nous l'occasion de souvenirs impérissables, d'expériences personnelles simples et décisives. Le feu est ainsi un phénomène privilégié qui peut tout expliquer. Si tout ce qui change lentement s'explique par la vie, tout ce qui change vite s'explique par le feu. Le feu est l'ultra-vivant. Le feu est intime et il est universel. Il vit dans notre cœur. Il vit dans le ciel. Il monte des profondeurs de la substance et s'offre comme un amour. Il redescend dans la matière et se cache, latent, contenu comme la haine et la vengeance. Parmi tous les phénomènes, il est vraiment le seul qui puisse recevoir aussi nettement les deux valorisations contraires : le bien et le mal. Il brille au Paradis. Il brûle à l'Enfer. Il est douceur et torture. Il est cuisine et apocalypse. Il est plaisir pour l'enfant assis sagement près du foyer ; il punit cependant de toute désobéissance quand on veut jouer de trop près avec ses flammes. Il est bien-être et il est respect. C'est un dieu tutélaire et terrible, bon et mauvais. Il peut se contredire : il est donc un des principes d'explication universelle.

Sans cette valorisation première, on ne comprendrait ni cette tolérance du jugement qui accepte les contradictions les plus flagrantes, ni cet enthousiasme qui accumule sans preuve les épithètes les plus louangeuses. Par exemple, quelle tendresse et quel non-sens dans cette page d'un médecin écrivant à la fin du xviiie siècle : « J'entends par ce feu, non pas une chaleur violente, tumultueuse, irritante et contre nature, qui brûle au lieu de cuire les humeurs, ainsi que les aliments ; mais ce feu doux, modéré, balsamique ; et qui, accompagné d'une certaine humidité, qui a de l'affinité avec celle du sang, pénètre les humeurs hétérogènes de même que les sucs destinés à la nutrition, les divise, les atténue, polit la rudesse et l'âpreté de leurs parties, et les amène enfin à un tel degré de douceur et d'affinement, qu'ils se trouvent approportionnés à notre nature [1]. » Dans cette page, il n'y a pas un seul argument, pas une seule épithète, qui puissent recevoir un sens objectif. Et pourtant comme elle nous convainc! Il me semble qu'elle totalise la force de persuasion du médecin et la force insinuante du remède. Comme le feu est le médicament le plus insinuant, c'est en le prônant que le médecin est le plus persuasif. En tout cas, je ne relis pas cette page — explique qui pourra ce rapprochement invincible — sans me souvenir du bon

---

1. A. Roy-Desjoncades, *Les Lois de la Nature*, applicables aux lois physiques de la Médecine, et au bien général de l'humanité. 2 vol. Paris, 1788, t. II, p. 144.

et solennel médecin à la montre d'or, qui venait à mon chevet d'enfant et tranquillisait d'un mot savant ma mère inquiète. C'était un matin d'hiver, dans notre pauvre maison. Le feu brillait dans l'âtre. On me donnait du sirop de tolu. Je léchais la cuiller. Où sont-ils ces temps de la chaleur balsamique et des remèdes aux chauds arômes!

II

Quand j'étais malade, mon père faisait du feu dans ma chambre. Il apportait un très grand soin à dresser les bûches sur le petit bois, à glisser entre les chenêts la poignée de copeaux. Manquer un feu eût été une insigne sottise. Je n'imaginais pas que mon père pût avoir d'égal dans cette fonction qu'il ne déléguait jamais à personne. En fait, je ne crois pas avoir allumé un feu avant l'âge de dix-huit ans. C'est seulement quand je vécus dans la solitude que je fus le maître de ma cheminée. Mais *l'art de tisonner* que j'avais appris de mon père m'est resté comme une vanité. J'aimerais mieux, je crois, manquer une leçon de philosophie que manquer mon feu du matin. Aussi avec quelle vive sympathie je lis chez un auteur estimé, tout occupé de savantes recherches, cette page qui est pour moi presque une page de souvenirs

personnels [1] : « Je me suis souvent amusé de
cette recette quand j'étais chez les autres, ou
quand j'avais quelqu'un chez moi : le feu se
ralentissait ; il fallait tisonner inutilement, savam-
ment, longuement, à travers une fumée épaisse.
On recourait enfin au menu bois, au charbon,
qui ne venaient pas toujours assez tôt : après
qu'on avait souvent bouleversé des bûches noires,
je parvenais à m'emparer des pincettes, chose
qui suppose patience, audace et bonheur. J'obte-
nais même sursis en faveur d'un sortilège, comme
ces Empiriques, auxquels la Faculté livre un
malade désespéré ; puis je me bornais à mettre en
regard quelques tisons, bien souvent sans qu'on
pût s'apercevoir que j'eusse rien touché. Je me
reposais sans avoir travaillé ; l'on me regardait
comme pour me dire d'agir et cependant la
flamme venait et s'emparait du bûcher ; alors on
m'accusait d'avoir jeté quelque poudre, et l'on
reconnaissait enfin, selon l'usage, que j'avais
ménagé des courants : on n'allait pas s'enquérir
des chaleurs complète, effluente, rayonnante, des
pyrosphères, des vitesses translatives, des séries
calorifiques. » Et Ducarla continue en étalant
conjointement ses talents familiers et ses connaissances théoriques ambitieuses où la propagation du feu est décrite comme une progression
géométrique suivant « des séries calorifiques ».
En dépit de cette mathématique mal venue,
le principe premier de la pensée « objective »
de Ducarla est bien clair et la psychanalyse en

---

1. Ducarla, *Du Feu complet*, p. 307.

est immédiate : mettons braise contre braise et
la flamme égaiera notre foyer.

III

Peut-être peut-on saisir ici un exemple de la
méthode que nous proposons de suivre pour une
psychanalyse de la connaissance objective. Il
s'agit en effet de trouver l'action des valeurs inconscientes à la base même de la connaissance
empirique et scientifique. Il nous faut donc montrer la lumière réciproque qui va sans cesse des
connaissances objectives et sociales aux connaissances subjectives et personnelles, et vice versa.
Il faut montrer dans l'expérience scientifique les
traces de l'expérience enfantine. C'est ainsi que
nous serons fondés à parler d'un *inconscient de
l'esprit scientifique*, du caractère hétérogène de
certaines évidences, et que nous verrons converger, sur l'étude d'un phénomène particulier, des
convictions formées dans les domaines les plus
variés.

Ainsi, on n'a peut-être pas assez remarqué que
le feu est plutôt un *être social* qu'un *être naturel*.
Pour voir le bien-fondé de cette remarque, il n'est
pas besoin de développer des considérations sur
le rôle du feu dans les sociétés primitives, ni d'insister sur les difficultés techniques de l'entretien
du feu ; il suffit de faire de la psychologie positive,
en examinant la structure et l'éducation d'un

esprit civilisé. En fait, le respect du feu est un
respect enseigné ; ce n'est pas un respect naturel.
Le réflexe qui nous fait retirer le doigt de la flamme
d'une bougie ne joue pour ainsi dire aucun rôle
conscient dans notre connaissance. On peut même
s'étonner qu'on lui donne tant d'importance dans
les livres de psychologie élémentaire où il s'offre
comme le sempiternel de l'intervention d'une
sorte de réflexion dans le réflexe, d'une connaissance dans la sensation la plus brutale. *En réalité, les interdictions sociales sont les premières*.
L'expérience naturelle ne vient qu'en second lieu
pour apporter une preuve matérielle *inopinée*,
donc trop obscure pour fonder une connaissance
objective. La brûlure, c'est-à-dire l'inhibition
naturelle, en confirmant les interdictions sociales
ne fait que donner, aux yeux de l'enfant, plus de
valeur à l'intelligence paternelle. Il y a donc, à
la base de la connaissance enfantine du feu, une
interférence du naturel et du social où le social
est presque toujours dominant. Peut-être le verra-
t-on mieux si l'on compare la piqûre et la brûlure.
Elles donnent, l'une et l'autre, lieu à des réflexes.
Pourquoi les *pointes* ne sont-elles pas, comme le
feu, objet de respect et de crainte ? C'est précisément parce que les interdictions sociales concernant les pointes sont de beaucoup plus faibles
que les interdictions concernant le feu.

Voici alors la véritable base du respect devant
la flamme : si l'enfant approche sa main du feu,
son père lui donne un coup de règle sur les doigts.
Le feu frappe sans avoir besoin de brûler. Que
ce feu soit flamme ou chaleur, lampe ou fourneau,

la vigilance des parents est la même. Le feu est
donc initialement l'objet d'une *interdiction générale ;* d'où cette conclusion : l'interdiction sociale
est notre première *connaissance générale* sur le
feu. Ce qu'on connaît d'abord du feu c'est qu'on
ne doit pas le toucher. Au fur et à mesure que
l'enfant grandit, les interdictions se spiritualisent :
le coup de règle est remplacé par la voix courroucée ; la voix courroucée par le récit des dangers
d'incendie, par les légendes sur le feu du ciel. Ainsi
le phénomène naturel est rapidement impliqué
dans des connaissances sociales, complexes et
confuses, qui ne laissent guère de place pour la
connaissance naïve.

Dès lors, puisque les inhibitions sont de prime
abord des interdictions sociales, le problème de la
connaissance personnelle du feu est le problème
de la *désobéissance adroite.* L'enfant veut faire
comme son père, loin de son père, et de même
qu'un petit Prométhée il dérobe des allumettes.
Il court alors dans les champs et, au creux d'un
ravin, aidé de ses compagnons, il fonde le foyer
de l'école buissonnière. L'enfant des villes ne
connaît guère ce feu qui flambe entre trois pierres ;
il n'a pas goûté la prunelle frite ni l'escargot placé
tout gluant sur les braises rouges. Il peut échapper
à ce *complexe de Prométhée* dont j'ai souvent senti
l'action. Seul ce complexe peut nous faire comprendre l'intérêt que rencontre toujours la légende,
en soi bien pauvre, du père du Feu. Il ne faut d'ailleurs pas se hâter de confondre ce complexe de
Prométhée et le complexe d'Œdipe de la psychanalyse classique. Sans doute les composantes

sexuelles des rêveries sur le feu sont particulièrement intenses et nous essaierons par la suite
de les mettre en évidence. Mais peut-être vaut-il
mieux désigner toutes les nuances des convictions
inconscientes par des formules différentes, quitte
à voir par la suite comment s'apparentent les
complexes. Précisément, un des avantages de la
psychanalyse de la connaissance objective que
nous proposons nous paraît être l'examen d'une
zone moins profonde que celle où se déroulent
les instincts primitifs ; et c'est parce que cette
zone est intermédiaire qu'elle a une action déter-
minante pour la pensée claire, pour la pensée scientifique. Savoir et fabriquer sont des besoins qu'on
peut caractériser en eux-mêmes, sans les mettre
nécessairement en rapport avec la volonté de
puissance. Il y a en l'homme une véritable *volonté
d'intellectualité*. On sous-estime le besoin de
comprendre quand on le met, comme l'ont fait le
pragmatisme et le bergsonisme, sous la dépendance
absolue du principe d'utilité. Nous proposons
donc de ranger sous le nom de *complexe de Prométhée* toutes les tendances qui nous poussent à
savoir autant que nos pères, plus que nos pères,
autant que nos maîtres, plus que nos maîtres.
Or, c'est en maniant l'objet, c'est en perfection-
nant notre connaissance objective que nous pouvons espérer nous mettre plus clairement au niveau
intellectuel que nous avons admiré chez nos parents et nos maîtres. La suprématie par des instincts plus puissants tente naturellement un bien
plus grand nombre d'individus, mais des esprits
plus rares doivent aussi être examinés par le psy-

chologue. Si l'intellectualité pure est exceptionnelle, elle n'en est pas moins très caractéristique d'une évolution spécifiquement humaine. Le complexe de Prométhée est le complexe d'Œdipe de la vie intellectuelle.

CHAPITRE II

Feu et rêverie
le complexe d'Empédocle

I

La psychiatrie moderne a élucidé la psychologie de l'incendiaire. Elle a montré le caractère
sexuel de ses tendances. Réciproquement, elle a
mis au jour le traumatisme grave que peut recevoir un psychisme par le spectacle d'une meule
ou d'un toit incendiés, d'une grande flambée sur
le ciel nocturne, dans l'infini de la plaine labourée.
Presque toujours l'incendie dans les champs est
la maladie d'un berger. Comme des porteurs de
sinistres flambeaux, les hommes de misère trans-
mettent d'âge en âge la contagion de leurs rêves
d'isolés. Un incendie détermine un incendiaire
presque aussi fatalement qu'un incendiaire allume
un incendie. Le feu couve dans une âme plus sûre-
ment que sous la cendre. L'incendiaire est le plus
dissimulé des criminels. A l'asile de Saint-Ylie,
l'incendiaire le plus caractérisé est très serviable.
Il n'y a qu'une chose qu'il prétend ne pas savoir
faire, c'est d'allumer le poêle. En dehors de la
psychiatrie, la psychanalyse classique a étudié
longuement les rêves du feu. Ils sont parmi les
plus clairs, les plus nets, ceux dont l'interpréta-

tion sexuelle est la plus sûre. Nous ne reviendrons donc pas sur ce problème.

Pour nous qui nous bornons à psychanalyser une couche psychique moins profonde, plus intellectualisée, nous devons remplacer l'étude des rêves par l'étude de la rêverie, et plus spécialement, dans ce petit livre, nous devons étudier la rêverie devant le feu. A notre avis, cette rêverie est extrêmement différente du rêve par cela même qu'elle est toujours plus ou moins centrée sur un objet. Le rêve chemine linéairement, oubliant son chemin en courant. La rêverie travaille en étoile. Elle revient à son centre pour lancer de nouveaux rayons. Et précisément la rêverie devant le feu, la douce rêverie consciente de son bien-être, est la rêverie la plus naturellement centrée. Elle compte parmi celle qui tient le mieux à son objet ou si l'on veut à son prétexte. D'où cette solidité et cette homogénéité qui lui donnent un tel charme que personne ne s'en déprend. Elle est si bien définie que c'est devenu une banalité de dire qu'on aime le feu de bois dans la cheminée. Il s'agit alors du feu calme, régulier, maîtrisé, où la grosse bûche brûle à petites flammes. C'est un phénomène monotone et brillant, vraiment total : il parle et vole, il chante.

Le feu enfermé dans le foyer fut sans doute pour l'homme le premier sujet de rêverie, le symbole du repos, l'invitation au repos. On ne conçoit guère une philosophie du repos sans une rêverie devant les bûches qui flambent. Aussi, d'après nous, manquer à la rêverie devant le feu, c'est perdre l'usage vraiment humain et

premier du feu. Sans doute le feu réchauffe et
réconforte. Mais on ne prend bien conscience de
ce réconfort que dans une assez longue contemplation ; on ne reçoit le bien-être du feu que si
l'on met les coudes aux genoux et la tête dans
les mains. Cette attitude vient de loin. L'enfant
près du feu la prend naturellement. Elle n'est
pas pour rien l'attitude du Penseur. Elle détermine une attention très particulière, qui n'a rien
de commun avec l'attention du guet ou de l'observation. Elle est très rarement utilisée pour
une autre contemplation. Près du feu, il faut
s'asseoir ; il faut se reposer sans dormir ; il faut
accepter la rêverie objectivement spécifique.

Bien entendu les partisans de la formation
utilitariste de l'esprit n'accepteront pas une
théorie si facilement idéaliste et ils nous objec-
teront, pour déterminer l'intérêt que nous por-
tons au feu, les multiples utilités du feu : non
seulement le feu chauffe, mais il cuit les viandes.
Comme si le foyer complexe, le foyer paysan,
empêchait la rêverie !

Aux dents de la crémaillère pendait le chaudron
noir. La marmite sur trois pieds s'avançait
dans la cendre chaude. Soufflant à grosses joues
dans le tuyau d'acier, ma grand-mère rallumait
les flammes endormies. Tout cuisait à la fois :
les pommes de terre pour les cochons, les pommes de terre plus fines pour la famille. Pour
moi, un œuf frais cuisait sous la cendre. Le feu
ne se mesure pas au sablier : l'œuf était cuit
quand une goutte d'eau, souvent une goutte de
salive, s'évaporait sur la coquille. Je fus bien

surpris quand je lus dernièrement que Denis
Papin surveillait sa marmite en employant le
procédé de ma grand-mère. Avant l'œuf, j'étais
condamné à la panade. Un jour, enfant coléreux
et pressé, je jetai à pleine louchée ma soupe aux
dents de la crémaillère : « mange cramaille, mange
cramaille ! » Mais les jours de ma gentillesse, on
apportait le gaufrier. Il écrasait de son rectangle
le feu d'épines, rouge comme le dard des glaïeuls.
Et déjà la gaufre était dans mon tablier, plus
chaude aux doigts qu'aux lèvres. Alors oui, je
mangeais du feu, je mangeais son or, son odeur et
jusqu'à son pétillement tandis que la gaufre brûlante craquait sous mes dents. Et c'est toujours
ainsi, par une sorte de plaisir de luxe, comme
dessert, que le feu prouve son humanité. Il ne se
borne pas à cuire, il croustille. Il dore la galette.
Il matérialise la fête des hommes. Aussi haut
qu'on puisse remonter, la valeur gastronomique
prime la valeur alimentaire et c'est dans la joie
et non pas dans la peine que l'homme a trouvé
son esprit. La conquête du superflu donne une
excitation spirituelle plus grande que la conquête
du nécessaire. L'homme est une création du désir,
non pas une création du besoin.

II

Mais la rêverie au coin du feu a des axes plus
philosophiques. Le feu est pour l'homme qui le

contemple un exemple de prompt devenir et un
exemple de devenir circonstancié. Moins monotone
et moins abstrait que l'eau qui coule, plus prompt
même à croître et à changer que l'oiseau au nid
surveillé chaque jour dans le buisson, le feu suggère le désir de changer, de brusquer le temps, de
porter toute la vie à son terme, à son au-delà. Alors
la rêverie est vraiment prenante et dramatique ;
elle amplifie le destin humain ; elle relie le petit
au grand, le foyer au volcan, la vie d'une bûche
et la vie d'un monde. L'être fasciné entend l'*appel
du bûcher*. Pour lui, la destruction est plus qu'un
changement, c'est un renouvellement.

Cette rêverie très spéciale et pourtant très générale détermine un véritable complexe où s'unissent
l'amour et le respect du feu, l'instinct de vivre
et l'instinct de mourir. Pour être rapide, on pourrait l'appeler le *complexe d'Empédocle*. On en verra
le développement dans une œuvre curieuse de
George Sand. C'est une œuvre de jeunesse, sauvée
de l'oubli par Aurore Sand. Peut-être cette *Histoire du Rêveur* a-t-elle été écrite avant le premier
voyage en Italie, avant le premier Volcan, après
le mariage mais avant le premier amour. En tout
cas, elle porte la marque du Volcan plutôt imaginé
que décrit. C'est souvent le cas dans la littérature.
Par exemple, on trouvera une page aussi typique
chez Jean-Paul qui rêve que le Soleil, fils de la
Terre, est projeté au ciel par le cratère d'une montagne en fusion. Mais comme la rêverie est pour
nous plus instructive que le rêve, suivons George
Sand.

Pour voir au petit matin la Sicile en feu sur la

mer étincelante, le voyageur gravit les pentes de l'Etna à la nuit tombante. Il s'arrête pour dormir dans la Grotte des Chèvres, mais ne pouvant trouver le sommeil, il rêve devant le feu de bouleau ; il reste naturellement (p. 22) « les coudes appuyés sur ses genoux et ses yeux fixés sur la braise rouge de son foyer, d'où s'échappaient sous mille formes et avec mille ondulations variées, des flammes blanches et bleues. C'est là, pensait-il, une image réduite des jeux de la flamme et des mouvements de la lave dans les irruptions de l'Etna. Que ne suis-je appelé à contempler cet admirable spectacle dans toutes ses horreurs ? » Comment peut-on admirer un spectacle qu'on n'a jamais vu ? Mais, comme pour mieux nous indiquer l'axe même de sa *rêverie amplifiante*, l'auteur continue : « Que n'ai-je les yeux d'une fourmi pour admirer ce bouleau embrasé ; avec quels transports de joie aveugle et de frénésie d'amante, ces essaims de petites phalènes blanchâtres viennent s'y précipiter ! Voilà pour elles le volcan dans toute sa majesté ! Voilà le spectacle d'un immense incendie. Cette lumière éclatante les enivre et les exalte comme ferait pour moi la vue de toute la forêt embrasée. » L'amour, la mort et le feu sont unis dans un même instant. Par son sacrifice dans le cœur de la flamme, l'éphémère nous donne une leçon d'éternité. La mort totale et sans trace est la garantie que nous partons tout entiers dans l'au-delà. Tout perdre pour tout gagner. La leçon du feu est claire : « Après avoir tout obtenu par adresse, par amour ou par violence, il faut que tu cèdes tout, que tu t'anéantisses. » (D'Annunzio,

Contemplation de la Mort). Tel est du moins, comme le reconnaît Giono dans les *Vraies richesses* (p. 134) la poussée intellectuelle « dans de vieilles races, comme chez les Indiens de l'Inde ou chez les Aztèques, chez les gens que leur philosophie et leur cruauté religieuses ont anémiés jusqu'à l'assèchement total ne laissant plus au sommet de la tête qu'un globe intelligent ». Seuls ces intellectualisés, ces êtres livrés aux instincts d'une formation intellectuelle, continue Giono « peuvent forcer la porte du four et entrer dans le mystère du feu ».

C'est ce que va nous faire comprendre George Sand. Dès que la rêverie est concentrée, apparaît le génie du Volcan. Il danse « sur les cendres bleues et rouges... prenant pour monture un flocon de neige emporté par l'ouragan ». Il entraîne le Rêveur par-delà le monument quadrangulaire dont la tradition attribue la fondation à Empédocle (p. 50). « Viens mon roi. Ceins ta couronne de flamme blanche et de soufre bleu d'où s'échappe une pluie étincelante de diamants et de saphyrs! » Et le Rêveur, prêt au sacrifice, répond : « Me voici! enveloppe-moi dans des fleuves de lave ardente, presse-moi dans tes bras de feu, comme un amant presse sa fiancée. J'ai mis le manteau rouge. Je me suis paré de tes couleurs. Revêts aussi ta brûlante robe de pourpre. Couvre tes flancs de ces plis éclatants. Etna, viens, Etna! brise tes portes de basalte, vomis le bitume et le soufre. Vomis la pierre, le métal et le feu!... » Dans le sein du feu, la mort n'est pas la mort. « La mort ne saurait être dans cette région éthérée où tu me transportes...

Mon corps fragile peut être consumé par le feu,
mon âme doit s'unir à ces éléments subtils dont
tu es composé. — Eh bien! dit l'Esprit, en jetant
sur (le Rêveur) une partie de son manteau rouge,
dis adieu à la vie des hommes, et suis-moi dans
celle des fantômes. »

Ainsi une rêverie au coin du feu, quand la
flamme tord les branches si grêles du bouleau,
suffit à évoquer le volcan et le bûcher. Un fétu
qui s'envole dans la fumée suffit à nous pousser
à notre destin! Comment mieux prouver que la
contemplation du feu nous ramène aux origines
mêmes de la pensée philosophique? Si le feu, phénomène au fond bien exceptionnel et rare, a été
pris pour un élément constituant de l'Univers,
n'est-ce pas parce qu'il est un élément de la pensée,
l'élément de choix pour la rêverie?

Quand on a reconnu un complexe psychologique, il semble qu'on comprenne mieux, plus
synthétiquement, certaines œuvres poétiques. En
fait, une œuvre poétique ne peut guère recevoir
son unité que d'un complexe. Si le complexe
manque, l'œuvre, sevrée de ses racines, ne communique plus avec l'inconscient. Elle paraît froide,
factice, fausse. Au contraire, une œuvre même
inachevée, livrée en variantes et en redites comme
l'*Empedokles* de Hölderlin, garde une unité, du
fait seule qu'elle se greffe sur le complexe d'Empédocle. Alors qu'Hypérion choisit une vie qui se
mêle plus intimement à la vie de la Nature, Empédocle choisit une mort qui le fond dans le pur
élément du Volcan. Ces deux solutions, dit fort bien
M. Pierre Berteaux, sont plus proches qu'il ne

semble à première vue. Empédocle est un Hypérion qui a éliminé les éléments werthériens, qui, par son sacrifice, consacre sa force et n'avoue pas sa faiblesse ; c'est « l'homme fait, héros mythique de l'antiquité, sage et sûr de lui, pour qui la mort volontaire est un acte de foi prouvant la force de sa sagesse[1] ». La mort dans la flamme est la moins solitaire des morts. C'est vraiment une mort cosmique où tout un univers s'anéantit avec le penseur. Le bûcher est un compagnon d'évolution.

Giova ciò solo che non muore, e solo
Per noi non muore, ciò che muor con noi.
N'est bon que cela seul qui ne meurt point, et seul
Pour nous ne meurt point, ce qui meurt avec nous.

D'Annunzio.

Parfois c'est devant un immense brasier que l'âme se sent travaillée par le complexe d'Empédocle. La Foscarina de D'Annunzio, brûlée des flammes intimes d'un amour désespéré, désire l'achèvement du bûcher tandis qu'elle contemple fascinée la fournaise du verrier[1] : « Disparaître, être engloutie, ne pas laisser de trace ! rugissait le cœur de la femme, ivre de destruction. En une seconde, ce feu pourrait me dévorer comme un sarment, comme un fétu de paille. Et elle s'approchait des bouches ouvertes par où l'on voyait les flammes fluides, plus resplendissantes que le midi d'été, s'enrouler aux pots de terre dans lesquels fondait, encore informe, le minerai que les ouvriers

---

1. Pierre Bertaux, *Hölderlin*. Paris 1936, p. 171.
1. D'Annunzio, *Le Feu* ,trad., p. 322.

postés à l'entour, derrière les parafeux, atteignaient
avec une verge de fer pour le façonner par le
souffle de leurs lèvres. »

On le voit, dans les circonstances les plus variées,
l'appel du bûcher reste un thème poétique fondamental. Il ne correspond plus, dans la vie moderne,
à aucune observation positive. Il nous émeut
quand même. De Victor Hugo à Henri de Régnier,
le bûcher d'Hercule continue, comme un symbole
naturel, à nous dépeindre le destin des hommes.
Ce qui est purement factice pour la connaissance
objective reste donc profondément réel et actif
pour les rêveries inconscientes. Le rêve est plus
fort que l'expérience.

CHAPITRE III

Psychanalyse et préhistoire
le complexe de Novalis

La Psychanalyse a entrepris depuis longtemps déjà l'étude des légendes et des mythologies. Elle a préparé, pour les études de ce genre, un matériel d'explications suffisamment riche pour éclaircir les légendes qui entourent la conquête du feu. Mais ce que la Psychanalyse n'a pas encore complètement systématisé — bien que les travaux de C. G. Jung aient jeté sur ce point une intense lumière — c'est l'étude des explications scientifiques, des explications objectives qui prétendent fonder les découvertes des hommes préhistoriques. Dans ce chapitre, nous allons réunir et compléter les observations de C. G. Jung en attirant l'attention sur la faiblesse des explications rationnelles.

Il nous faut d'abord critiquer les explications scientifiques modernes qui nous paraissent assez mal appropriées aux découvertes préhistoriques. Ces explications scientifiques procèdent d'un rationalisme sec et rapide qui prétend bénéficier d'une évidence récurrente, sans rapport pourtant avec les conditions *psychologiques* des découvertes primitives. Il y aurait donc place, croyons-nous,

pour une psychanalyse indirecte et seconde, qui
chercherait toujours l'inconscient sous le conscient,
la valeur subjective sous l'évidence objective, la
rêverie sous l'expérience. On ne peut étudier que
ce qu'on a d'abord rêvé. La science se forme plutôt
sur une rêverie que sur une expérience et il faut
bien des expériences pour effacer les brumes du
songe. En particulier, le même acte travaillant la
même matière pour donner le même résultat
objectif n'a pas le même sens subjectif dans des
mentalités aussi différentes que celles de l'homme
primitif et de l'homme instruit. Pour l'homme
primitif, la pensée est une rêverie centralisée ;
pour l'homme intruit, la rêverie est une pensée
détendue. Le sens dynamique est inverse d'un cas
à l'autre.

Par exemple, c'est un leit-motiv de l'explication rationaliste que les premiers hommes aient
produit le feu par le frottement de deux pièces de
bois sec. Mais les raisons *objectives* invoquées pour
expliquer comment les hommes auraient été
conduits à imaginer ce procédé sont bien faibles.
Souvent même, on ne se risque pas à éclaircir la
psychologie de cette première découverte. Parmi
les rares auteurs qui se préoccupent d'une explication, la plupart rappellent que les incendies de
forêts se produisent par le « frottement » des
branches en été. Ils appliquent précisément le
rationalisme récurrent que nous voulons dénoncer.
Ils en jugent par inférence à partir d'une science
connue, sans revivre les conditions de l'observation naïve. Présentement, quand on ne peut
trouver une autre cause d'incendie de forêt, on en

vient à penser que la cause inconnue peut être le frottement. Mais, en fait, on peut dire que le *phénomène en son aspect naturel n'a jamais été observé*. L'observerait-on que ce n'est pas à proprement parler à un frottement qu'on penserait si l'on abordait le phénomène en toute ingénuité. On penserait à un *choc*; on ne trouverait rien qui pût suggérer un phénomène long, préparé, progressif, comme est le frottement qui doit entraîner l'inflammation du bois. Nous arrivons donc à cette conclusion critique : aucune des pratiques fondées sur le frottement, en usage chez les peuples primitifs pour produire le feu, ne peut être suggérée directement par un phénomène naturel.

Ces difficultés n'avaient pas échappé à Schlegel. Sans apporter de solution, il avait fort bien vu que le problème posé en termes rationnels ne correspondait pas aux possibilités psychologiques de l'homme primitif[1]. « La seule invention du feu, pierre angulaire de tout l'édifice de la culture, comme l'exprime si bien la fable de Prométhée, dans la supposition de l'état brut, présente des difficultés insurmontables. Rien de plus trivial pour nous que le feu ; mais l'homme aurait pu errer des milliers d'années dans les déserts, sans en avoir vu une seule fois sur le sol terrestre. Accordons-lui un volcan en éruption, une forêt embrasée par la foudre : endurci dans sa nudité contre l'intempérie des saisons, sera-t-il accouru tout de suite pour s'y chauffer? n'aura-t-il pas plutôt pris la

---

1. Auguste-Guillaume de Schlegel, *Œuvres écrites en français*, t. I., Leipzig, 1846, p. 307-308.

fuite ? L'aspect du feu épouvante la plupart des
animaux, excepté ceux qui, par la vie domestique
s'y sont habitués... Même après avoir éprouvé les
effets bienfaisants d'un feu que lui offrait la nature,
comment l'aurait-il conservé ?... Comment une
fois éteint aurait-il su le rallumer ? Que deux morceaux de bois sec soient tombés pour la première
fois entre les mains d'un sauvage, par quelle indi-
cation de l'expérience devinera-t-il qu'ils peuvent
s'enflammer par un frottement rapide et longtemps continué ? »

II

Au contraire, si une explication rationnelle et
objective est vraiment peu satisfaisante pour
rendre compte d'une découverte par un esprit primitif, une explication psychanalytique, pour
aventureuse qu'elle semble, doit finalement être
l'explication psychologique véritable.

En premier lieu, il faut reconnaître que le frottement est une expérience fortement sexualisée.
On n'aura aucune peine à s'en convaincre en par-
courant les documents psychologiques réunis par
la psychanalyse classique. En second lieu, si l'on
veut bien systématiser les indications d'une psychanalyse spéciale des impressions calorigènes, on
va se convaincre que l'essai *objectif* de produire le
feu par le frottement est suggéré par des expériences tout à fait intimes. En tout cas, c'est de ce

côté que le circuit est le plus court entre le phénomène du feu et sa reproduction. L'amour est
la première hypothèse scientifique pour la reproduction objective du feu. Prométhée est un amant
vigoureux plutôt qu'un philosophe intelligent et
la vengeance des dieux est une vengeance de jaloux.

Dès qu'on a formulé cette remarque psychanalytique, une foule de légendes et de coutumes
s'expliquent aisément ; des expressions curieuses,
mêlées inconsciemment à des explications ratio-
nalisées s'éclairent d'un jour nouveau. Ainsi Max
Muller qui a apporté aux études des origines
humaines une intuition psychologique si péné-
trante, aidée de connaissances linguistiques profondes, passe tout près de l'intuition psychanalytique sans cependant la discerner [1]. « Il y avait
tant de choses à conter sur le feu ! » Et voici justement la première : « Il était fils des deux morceaux
de bois. » Pourquoi *fils ?* Qui est séduit par cette
vue génétique ? l'homme primitif ou Max Muller ?
Une telle image, de quel côté est-elle la plus claire ?
Est-elle claire objectivement ou subjectivement ?
Où est l'expérience qui l'éclaircit ? Est-ce l'expérience objective du frottement de deux morceaux
de bois ou l'expérience intime d'un frottement plus
doux, plus caressant qui enflamme un corps aimé ?
Il suffit de poser ces questions pour déceler le
foyer de la conviction qui croit que le feu est le
fils du bois.

Faut-il s'étonner que ce feu impur, fruit d'un

---

1 F. Max Muller, *Origine et développement de la Religion* trad.
J. Darmesteter, 1879, p. 190.

amour solitaire, soit déjà marqué, à peine né, du
complexe d'Œdipe ? L'expression de Max Muller
est révélatrice à cet égard : la deuxième chose
qu'il y avait à conter sur ce feu primitif, c'est
« comment, aussitôt né, il dévorait son père et sa
mère, c'est-à-dire les deux pièces de bois d'où il
avait jailli ». Jamais le complexe d'Œdipe n'a été
mieux et plus complètement désigné : si tu manques
le feu, l'échec *cuisant* rongera ton cœur, le feu
restera en toi. Si tu produis le feu, le sphinx
lui-même te consumera. L'amour n'est qu'un
feu à transmettre. Le feu n'est qu'un amour à sur-
prendre.

Comme Max Muller ne pouvait naturellement
pas bénéficier des clartés apportées par la révo-
lution psychologique de l'ère freudienne, certaines
inconséquences sont visibles jusque dans sa thèse
linguistique. Ainsi il écrit : « Et quand (l'homme
primitif) *pensait* le feu et le nommait, que devait-il
arriver ? Il ne pouvait le nommer que d'après ce
qu'il faisait : c'était le consumeur et l'illuminateur. »
On devrait donc s'attendre, en suivant l'explication *objective* de Max Muller, à ce que ce soient
des attributs *visuels* qui viennent désigner un
phénomène conçu comme primitivement *visible*,
vu toujours avant d'être touché. Mais non : aux
dires de Max Muller, « c'étaient surtout les mouvements rapides du feu qui frappaient l'homme ».
Et c'est ainsi qu'il fut appelé « le vif, l'ag-ile, Ag-nis,
ig-nis ». Cette désignation par un phénomène
adjoint, objectivement indirect, sans constance,
ne peut manquer d'apparaître comme bien artificielle. Au contraire, l'explication psychanaly-

tique redresse tout. Oui le feu, c'est l'Ag-nis, l'Ag-ile, mais ce qui est primitivement agile, c'est la cause *humaine* avant le phénomène produit, c'est la main qui pousse le pilon dans la rainure, imitant des caresses plus intimes. Avant d'être le fils du bois, le feu est le fils de l'homme.

III

Le moyen universellement retenu pour éclairer la psychologie de l'homme préhistorique est l'étude des peuples primitifs encore existants. Mais pour une psychanalyse de la connaissance objective, il y a d'autres occasions de *primitivité* qui nous semblent finalement plus pertinentes. Il suffit en effet de considérer un phénomène *nouveau* pour constater la difficulté d'une attitude objective vraiment idoine. Il semble que l'*inconnu* du phénomène s'oppose activement, positivement, à son objectivation. A l'*inconnu* ne correspond pas l'ignorance, mais bien l'erreur, et l'erreur sous la forme la plus lourde des tares subjectives. Pour faire la psychologie de la *primitivité*, il suffit alors de considérer une connaissance scientifique essentiellement nouvelle et de suivre les réactions des esprits non scientifiques, mal préparés, ignorants des voies de la découverte effective. La science électrique au XVIIIe siècle offre à cet égard une mine inépuisable d'observations psychologiques. En particulier, le *feu électrique*, plus peut-être

encore que le feu usuel passé au rang de phénomène banal, psychanalytiquement usé, est un *feu
sexualisé.* Puisqu'il est mystérieux, il est clairement sexuel. Sur l'idée du frottement, dont nous
venons de souligner l'évidente sexualité première,
nous allons retrouver, pour l'électricité, tout ce
que nous avons dit pour le feu. Charles Rabiqueau, « Avocat, Ingénieur privilégié du Roi pour
tous ses ouvrages de Physique et de Mécanique »
écrit en 1753 un traité sur « Le spectacle du feu
élémentaire ou Cours d'électricité expérimentale. »
Dans ce traité, on peut voir une sorte de réciproque
de la thèse psychanalytique que nous soutenons
dans ce chapitre pour expliquer la production du
feu par le frottement : Puisque le frottement est
cause de l'électricité, Rabiqueau va développer,
sur le thème du frottement, une *théorie électrique
des sexes* (p. 111-112) « le frottement doux écarte
les parties d'esprit d'air qui s'opposent au passage,
à la chute d'une matière spiritueuse, que nous
nommons liqueur séminale. Ce frottement électrique fait en nous une sensation, un chatouillement, par la finesse des pointes d'esprit de feu, à
mesure que la raréfaction se fait, et que cet esprit
de feu s'accumule à l'endroit frotté. Alors la liqueur
ne pouvant soutenir la légèreté de l'esprit de feu
accumulé en atmosphère quitte sa place et vient
tomber dans la matrice, où est aussi l'atmosphère :
le vagin n'est que le conduit qui mène au réservoir
général qui est cette matrice. Il y a chez le sexe
féminin une partie sexifique. Cette partie est à
ce sexe ce que la partie sexifique de l'homme est
à l'homme. Cette partie est sujette à pareille raré-

faction, chatouillement et sensation. Cette même
partie fait encore partie du frottement. Les pointes
d'esprit de feu sont même plus sensibles chez le
sexe féminin...

« Le sexe féminin est dépositaire des petites
sphères humaines qui sont à l'ovaire. Ces petites
sphères sont une matière électrique sans action,
sans vie ; comme une bougie non allumée, ou un
œuf prêt à recevoir le feu de vie, le pépin ou la
graine : ou enfin comme l'amadou ou l'allumette
qui attendent cet esprit de feu... »

Nous avons peut-être déjà lassé la patience du
lecteur ; mais des textes semblables, qui pourraient
être étendus et multipliés disent assez clairement
les préoccupations secrètes d'un esprit qui prétend
s'adonner à la « pure mécanique ». On voit de reste
que le centre des convictions n'est nullement
l'expérience objective. Tout ce qui frotte, tout ce
qui brûle, tout ce qui électrise est immédiatement
susceptible d'expliquer la génération.

Quand les harmoniques sexuelles inconscientes
du frottement viennent à manquer, quand elles
résonnent mal dans des âmes sèches et raides,
aussitôt le frottement, rendu à son aspect purement mécanique, perd son pouvoir d'explication.
De ce point de vue, on pourrait peut-être rendre
compte psychanalytiquement des longues résistances qu'a rencontrées la théorie cinétique de la
chaleur. Cette théorie très claire pour la représen-
tation consciente, très suffisante pour un esprit
sincèrement positiviste, paraît sans profondeur —
entendons : sans satisfaction inconsciente — à un
esprit préscientifique. L'auteur d'un *Essai sur la*

cause de l'électricité adressé en forme de lettres à
G. Watson (trad. 1748) montre en ces termes sa
désillusion : « Je ne trouve rien de si mal raisonné
que quand j'entends dire que le feu est causé par
le frottement. Il me semble que c'est autant que
de dire que l'eau est causée par la pompe. »

Quant à Mme du Châtelet, elle ne paraît pas
trouver dans cette thèse le moindre éclaircisse-
ment et elle en reste à l'aveu d'un miracle : « C'est
là sans doute un des plus grands miracles de la
Nature, que le Feu le plus violent puisse être produit en un moment par la percussion des corps les
plus froids en apparence. » Ainsi un fait qui est
vraiment clair pour un esprit scientifique fondé
sur l'enseignement de l'énergétisme moderne et
qui comprend immédiatement que l'arrachement
d'une particule de silex peut en déterminer l'incan-
descence, fait l'objet d'un mystère pour l'esprit
préscientifique de Mme du Châtelet. Il lui faut une
explication substantialiste, une explication *profonde*. La *profondeur*, c'est ce qu'on cache ; c'est
ce qu'on tait. On a toujours le droit d'y penser.

IV

Notre thèse paraîtrait moins risquée si l'on voulait bien se libérer d'un utilitarisme intransigeant
et cesser d'imaginer, sans discussion, l'homme
préhistorique sous le signe du malheur et de la
nécessité. Tous les voyageurs nous disent en vain

l'insouciance du primitif : nous n'en frémissons pas
moins à l'image de la vie à l'époque de l'homme
des cavernes. Peut-être notre ancêtre était-il plus
gracieux devant le plaisir, plus conscient de son
bonheur, dans la proportion où il était moins délicat
dans la souffrance. Le chaud bien-être de l'amour
physique a dû valoriser bien des expériences primitives. Pour enflammer le pilon en le glissant
dans la rainure de bois sec, il faut temps et patience.
Mais ce travail devait être bien doux pour un être
dont toute la rêverie était sexuelle. C'est peut-être
dans ce tendre travail que l'homme a appris à
chanter. En tout cas, c'est un travail évidemment
rythmique, un travail qui *répond* au rythme du
travailleur, qui lui apporte de belles et multiples
résonances : le bras qui frotte, les bois qui battent,
la voix qui chante, tout s'unit dans la même harmonie, dans la même dynamogénie rythmée ; tout
converge dans un même espoir, vers un but dont
on connaît la *valeur*. Dès qu'on entreprend de
frotter on a la preuve d'une douce chaleur objective en même temps que la chaude impression
d'un exercice agréable. Les rythmes se soutiennent
les uns les autres. Ils s'induisent mutuellement et
durent par self-induction. Si l'on acceptait les
principes psychologiques de la Rythmanalyse de
M. Pinheiro dos Santos qui nous conseille de ne
donner la *réalité temporelle* qu'à ce qui vibre, on
comprendrait immédiatement la valeur de dyna-
misme vital, de psychisme cohéré qui intervient
dans un travail aussi rythmé. C'est vraiment l'être
entier en fête. C'est dans cette fête plus que dans
une souffrance que l'être primitif trouve la conscience

de soi, qui est d'abord la confiance en soi.

La manière dont on imagine est souvent plus instructive que ce qu'on imagine. Il suffit de lire le récit de Bernardin de Saint-Pierre pour être frappé de la facilité, — et par conséquent de la sympathie — avec laquelle cet écrivain « comprend» le procédé primitif du feu par friction. Perdu dans la forêt avec Virginie, Paul veut donner à sa compagne le « chou épineux « qui est au faîte d'un jeune palmiste. Mais l'arbre défie la hache et Paul n'a pas de couteau! Paul imagine de mettre le feu au pied de l'arbre, mais il n'a pas de briquet! D'ailleurs dans l'île couverte de rochers, il n'y a pas de pierre à fusil. Nous notons ces phrases rapides, pleines de retours et de repentirs comme la marque des tentations impossibles. Elles préparent psychanalytiquement la décision : il faut en venir au procédé des Noirs. Ce procédé va se révéler si facile qu'on s'étonne des hésitations qui l'ont précédé[1]. « Avec l'angle d'une pierre il fit un petit trou sur une branche d'arbre bien sèche qu'il assujettit sous ses pieds ; puis avec le tranchant de cette pierre, il fit une pointe à un autre morceau de branche également sèche, mais d'une espèce de bois différent. Il posa ensuite ce morceau de bois pointu dans le petit trou de la branche qui était sous ses pieds, et le faisant rouler rapidement entre ses mains, comme on roule un moulinet dont on veut faire mousser du chocolat, en peu de moments, il fit sortir du point de contact, de la fumée et des étincelles. Il ramassa les herbes sèches et d'autres

---

1. Bernardin de Saint-Pierre, *Études de la Nature*, 4e éd., 1791, t. IV, p. 34.

branches d'arbres, et mit le feu au pied du palmiste,
qui, bientôt après, tomba avec un grand fracas.
Le feu lui servit encore à dépouiller le chou de
l'enveloppe de ses longues feuilles ligneuses et
piquantes. Virginie et lui mangèrent une partie
de ce chou crue, et l'autre cuite sous la cendre, et
ils les trouvèrent également savoureuses... » On
remarquera que Bernardin de Saint-Pierre recom-
mande deux morceaux de bois de *nature différente*.
Pour un primitif, cette différence est d'ordre sexuel.
Dans le *Voyage en Arcadie*, Bernardin de Saint-
Pierre spécifiera, d'une manière toute gratuite, le
lierre et le laurier. Notons aussi que la comparaison
du frottoir et du moulinet qui fait mousser le
chocolat se trouve dans la Physique de l'Abbé
Nollet que lisait, poussé par ses prétentions scientifiques, Bernardin de Saint-Pierre. Ce mélange de
rêve et de lecture est, à lui seul, symptomatique d'une
rationalisation. D'ailleurs, à aucun moment, l'écrivain n'a paru voir les inconséquences de son récit.
Une douce imagination le porte, son inconscient
retrouve les joies du premier feu allumé sans misère,
dans la douce confiance d'un amour partagé.

Au surplus, il est assez facile de constater que
l'*eurythmie* d'un frottement actif, à condition qu'il
soit suffisamment doux et prolongé, détermine une
euphorie. Il suffit d'attendre que l'accélération
rageuse soit calmée, que les différents rythmes
soient coordonnés, pour voir le sourire et la paix
revenir sur le visage du travailleur. Cette joie est
inexplicable objectivement. Elle est la marque
d'une puissance affective spécifique. Ainsi s'explique la joie de frotter, de fourbir, de polir,

d'astiquer qui ne trouverait pas son explication suffisante dans le soin méticuleux de certaines ménagères. Balzac a noté dans Gobseck que les « froids intérieurs » des vieilles filles étaient parmi les plus luisants. Psychanalytiquement, la propreté est une malpropreté.

Dans leurs théories parascientifiques, certains esprits n'hésitent pas à accentuer la *valorisation* du frottement, en dépassant le stade des amours solitaires toutes en rêverie pour atteindre celui des amours partagées. J.-B. Robinet, dont les livres ont connu de nombreuses éditions, écrit en 1766 : « La pierre que l'on frotte pour la rendre lumineuse comprend ce qu'on exige d'elle, et son éclat prouve sa condescendance... Je ne puis croire que les minéraux nous fassent tant de bien par leurs vertus, sans jouir de la douce satisfaction qui est le premier et le plus grand prix de la bienfaisance. » Des opinions aussi absurdes objectivement doivent avoir une cause psychologique profonde. Parfois, Robinet s'arrête dans la crainte « d'exagérer ». Un psychanalyste dirait « dans la crainte de se trahir ». Mais l'exagération est déjà bien visible. Elle est une réalité psychologique à expliquer. On n'a pas le droit de la passer sous silence, comme le fait une histoire des sciences systématiquement attachée aux résultats objectifs.

En résumé, nous proposons, comme C. G. Jung, de rechercher systématiquement les composantes de la Libido dans toutes les activités primitives. En effet, ce n'est pas seulement dans l'art que se sublime la Libido. Elle est la source de tous les travaux de l'*homo faber*. On a sans doute fort bien dit quand on a défini l'homme : une main et un langage. Mais les gestes *utiles* ne doivent pas cacher les gestes *agréables*. La main est précisément l'organe des caresses comme la voix est l'organe des chants. Primitivement caresse et travail devaient être associés. Les longs travaux sont des travaux relativement doux. Un voyageur parle de primitifs qui forment des objets au polissoir en un travail qui dure deux mois. Plus tendre est le retouchoir, plus beau est le poli. Sous une forme un peu paradoxale, nous dirions volontiers que l'âge de la pierre éclatée est l'âge de la pierre taquinée tandis que l'âge de la pierre polie est l'âge de la pierre caressée. Le brutal brise le silex, il ne le travaille pas. Celui qui travaille le silex aime le silex et l'on n'aime pas autrement les pierres que les femmes.

Quand on contemple une hache de silex taillé, il est impossible de résister à cette idée que chaque facette bien placée a été obtenue par une *réduction* de la force, par une force inhibée, contenue, administrée, bref par une force *psychanalysée*. Avec la pierre polie on passe de la caresse discontinue à la caresse continue, au mouvement doux et enveloppant, rythmé et séducteur. En tout cas, l'homme qui travaille avec une telle patience est soutenu, à la fois, par un souvenir et un espoir, et c'est du côté des puissances affectives qu'il faut chercher le secret de sa rêverie.

V

Un signe de fête est attaché à jamais à la production du feu par le frottement. Dans les fêtes

du feu, si célèbres au Moyen Age, si universellement répandues chez les peuplades primitives, on
revient parfois à la coutume initiale, ce qui semble
prouver que la *naissance* du feu est le principe de
son adoration. Dans la Germanie, nous dit
A. Maury, le nothfeuer ou nodfyr devait être allumé
en frottant l'un contre l'autre deux morceaux de
bois. Chateaubriand nous décrit longuement la
fête du *feu nouveau* chez les Natchez. La veille,
on a laissé éteindre le feu qui brûlait depuis un an.
Avant l'aube, le prêtre frotte lentement l'un contre
l'autre deux morceaux de bois sec en prononçant
à voix basse des paroles magiques. Quand le Soleil
paraît, le prêtre accélère le mouvement. « A l'instant le Grand Prêtre pousse l'oah sacré, le feu
jaillit du bois échauffé par le frottement, la mèche
soufrée s'allume... le jongleur communique le feu
aux cercles de roseau : la flamme serpente en suivant leur spirale. Les écorces de chêne sont allumées sur l'autel, et ce feu nouveau donne ensuite
une nouvelle semence aux foyers éteints du village[1] ». Ainsi cette fête des Natchez, qui cumule
la fête du Soleil et la fête de la moisson, est surtout
une fête de la *semence* du feu. Cette semence, pour
qu'elle ait toute sa vertu, il faut la saisir dans sa
vivacité première, quand elle sort du frottoir igni-
gène. La méthode du frottement apparaît donc
comme la méthode *naturelle*. Encore une fois, elle
est naturelle parce que l'homme y accède *par sa
propre nature*. En vérité, le feu fut surpris en nous
avant d'être arraché du Ciel.

---

1. Chateaubriand, *Voyage en Amérique*, p. 123-124.

Frazer donne de très nombreux exemples de feux de joie allumés par le frottement. Entre autres, les feux écossais de Beltane étaient allumés par le feu *forcé* ou *feu nécessaire* [1]. « C'était un feu produit exclusivement par le frottement de deux pièces de bois l'une contre l'autre. Dès que les premières étincelles apparaissaient, on en approchait une espèce de champignon qui pousse sur les vieux bouleaux et qui s'enflamme très facilement. En apparence, un tel feu pouvait passer pour descendre directement du ciel et on lui attribuait toutes sortes de vertus. On croyait, en particulier, qu'il protégeait les hommes et les bêtes contre toutes les mauvaises maladies... » On se demande à quelle « apparence » fait allusion Frazer pour dire que ce *feu forcé descend directement* du ciel. Mais c'est tout le système d'explication de Frazer qui, sur ce point, nous semble mal orienté. Frazer place, en effet, le motif de ses explications dans des *utilités*. Ainsi, des feux de joie on tire des cendres qui vont féconder les champs de lin, les champs de blé et d'orge. Cette première preuve introduit une sorte de *rationalisation inconsciente* qui oriente mal un lecteur moderne facilement convaincu de l'utilité des carbonates et autres engrais chimiques. Mais voyons de plus près le glissement vers les valeurs obscures et profondes. Ces cendres du *feu forcé*, on les donne, non seulement à la terre qui doit porter les moissons, mais on les mêle à la nourriture du bétail pour qu'il engraisse. Parfois, c'est pour que le bétail multiplie. Dès lors le principe psycholo-

---

1. J. G. Frazer, *Le Rameau d'Or*, trad. 3 vol., t. III, p. 474.

gique de la coutume est patent. Qu'on nourrisse une bête ou qu'en engraisse un champ, il y a, au-delà de l'utilité claire, un rêve plus intime, et c'est le rêve de la fécondité sous la forme la plus sexuelle. Les cendres des feux de joie fécondent et les bêtes et les champs *car* elles fécondent les femmes. C'est l'expérience du feu de l'amour qui est la base de l'induction objective. Une fois de plus, l'explication par l'*utile* doit céder devant l'explication par l'*agréable*, l'explication rationnelle doit céder devant l'explication psychanalytique. Quand on met l'accent, comme nous le proposons, sur la valeur agréable, on doit convenir que si le feu est *utile après*, il est agréable dans sa préparation. Il est peut-être plus doux avant qu'après, comme l'amour. Pour le moins, le bonheur résultant est sous la dépendance du bonheur cherché. Et si l'homme primitif a la conviction que le feu de joie, que le feu originaire a toutes sortes de vertus et qu'il donne puissance et santé, c'est qu'il éprouve le bien-être, la force intime et quasi invincible de l'homme qui vit cette minute décisive où le feu va briller et où les désirs vont être comblés.

Mais il faut aller plus loin et inverser, nous semble-t-il, dans tous ses détails l'explication de Frazer. Pour Frazer, les feux de joie sont des fêtes relatives à la mort des divinités de la végétation, en particulier de la végétation des forêts. On peut alors se demander pourquoi les divinités de la végétation tiennent une si énorme place dans l'âme primitive. Quelle est donc la première fonction *humaine* des bois : est-ce l'ombrage ; est-ce le fruit si rare et si chétif ? N'est-ce pas plutôt le feu ? Et voici le dilemme : fait-on les feux pour adorer le bois, comme le croit Frazer, ou brûle-t-on le bois pour adorer le feu, comme le veut une explication plus profondément animiste ? Il nous semble que cette dernière interprétation éclaire bien des détails des *fêtes du feu* qui restent inexpliqués dans l'interprétation de Frazer. Ainsi, pourquoi la tradition recommande-t-elle souvent de faire allumer les feux de joie par une jeune fille et un jeune homme réunis (p. 487) ; ou par celui des habitants du village qui a le dernier pris femme (p. 460) ? Frazer nous représente tous les jeunes gens « sautant par-dessus les cendres pour obtenir une bonne récolte, ou pour faire dans l'année un bon mariage, ou encore pour éviter les coliques ». Parmi ces trois mobiles, n'y en a-t-il pas un qui, pour la jeunesse, est nettement prédominant ? Pourquoi (p. 464) est-ce « la plus jeune mariée du village (qui) doit sauter par-dessus le feu » ? Pourquoi (p. 490), en Irlande, « lorsqu'une jeune fille saute trois fois en avant et en arrière par-dessus le feu, (dit-on) qu'elle se mariera bientôt, qu'elle sera heureuse et qu'elle aura beaucoup d'enfants » ? Pourquoi (p. 493) certains jeunes gens sont-ils « convaincus que le feu de Saint-Jean ne les brûlera pas » ? N'ont-ils pas, pour fonder une si étrange conviction, une expérience plus intime qu'objective ? Et comment les Brésiliens se mettent-ils « sans se brûler des charbons ardents dans la bouche » ? Quelle est donc l'expérience première qui leur a inspiré cette audace ? Pourquoi (p. 499) les Irlandais font-ils « passer à travers les feux du solstice ceux de leurs bestiaux qui étaient stériles » ? Et

cette légende de la vallée du Lech est bien claire
aussi : « lorsqu'un jeune homme et une jeune
femme sautent ensemble par-dessus un de ces feux
sans être atteints même par la fumée, on dit que
la jeune femme ne sera pas mère pendant l'année,
parce que les flammes ne l'ont pas touchée ni fécon-
dée. » Elle a montré qu'elle avait l'adresse de jouer
avec le feu sans se brûler. Frazer se demande si
l'on ne pourrait pas rattacher à cette dernière
croyance « les scènes de débauche auxquelles se
livrent les Esthoniens le jour du solstice ». Il ne
nous donne pas toutefois, dans un livre qui ne
craint pas l'accumulation des références, un récit
de cette débauche ignée. Il ne croit pas davantage
devoir nous donner un récit circonstancié de la
fête du feu dans l'Inde septentrionale, fête « qui
est accompagnée de chants et gestes licencieux,
sinon obscènes ».

Ainsi le dernier trait avoue en quelque sorte la
mutilation des moyens d'explication. Nous aurions
pu multiplier les questions qui restent sans réponse
dans la thèse de Frazer et qui se résolvent d'elles-
mêmes dans la thèse de la sexualisation primitive
du feu. Rien n'est plus susceptible de faire mieux
comprendre l'insuffisance des explications socio-
logiques que la lecture parallèle du *Rameau d'Or*
de Frazer et de la *Libido* de Jung. Même sur un
point ultra-précis comme le *problème du gui*, la
perspicacité du psychanalyste apparaît comme
décisive. On trouvera d'ailleurs dans le livre de
Jung de nombreux arguments à l'appui de notre
thèse sur le caractère sexuel du frottement et du
feu primitif. Nous n'avons fait que systématiser

ces arguments en y adjoignant des documents puisés dans une zone spirituelle moins profonde, plus près de la connaissance objective.

VI

Le livre spécial de Frazer qui a pour titre : *Mythes sur l'origine du feu* rencontre à chaque page des traces sexuelles si évidentes qu'une psychanalyse en est vraiment inutile. Comme notre but dans ce petit livre est d'étudier plutôt les mentalités modernes, nous ne nous étendrons pas sur les mentalités primitives étudiées par Frazer. Nous n'en donnerons donc que quelques exemples, en montrant la nécessité de redresser l'interprétation du sociologue dans le sens psychanalytique.

Souvent le créateur du feu est un petit oiseau portant sur la queue une marque rouge qui est la trace du feu. Dans une tribu australienne la légende est très plaisante, ou, pour mieux dire, c'est parce qu'on plaisante qu'on réussit à voler le feu. « L'aspic sourd était seul jadis à posséder du feu, qu'il tenait à l'abri à l'intérieur de son corps. Tous les oiseaux avaient en vain essayé d'en avoir, jusqu'à ce que survînt le petit faucon qui fit des bouffonneries si ridicules que l'aspic ne put garder son sérieux et commença à rire. Alors le feu lui échappa et devint leur propriété commune. » (Trad. p. 18). Ainsi, comme sou-

vent, la légende du feu est la légende de l'amour
grivois. Le feu est associé à des plaisanteries
sans nombre.

Dans beaucoup de cas, le feu est *volé*. Le
complexe de Prométhée est dispersé sur tous les
animaux de la création. Le voleur de feu est le
plus souvent un oiseau, un roitelet, un rouge-
gorge, un oiseau-mouche, donc un petit animal.
Parfois, c'est un lapin, un blaireau, un renard
qui emportent le feu au bout de la queue. Ailleurs, des femmes se battent : « à la fin, une des
femmes cassa son bâton de combat et immédiatement il en sortit du feu. » (p. 33). Le feu est
aussi produit par une vieille femme qui « as-
souvit sa rage en arrachant deux bâtons aux
arbres et en les frottant violemment l'un contre
l'autre ». A plusieurs reprises, la création du feu
est associée à une semblable violence : le feu est
le phénomène objectif d'une rage intime, d'une
main qui s'énerve. Il est ainsi très frappant de
saisir toujours un état psychologique exceptionnel, fortement teinté d'affectivité, à l'origine
d'une découverte objective. On peut alors distinguer bien des sortes de feux, le feu doux, le feu
sournois, le feu mutin, le feu violent, en les
caractérisant par la psychologie initiale des
désirs et des passions.

Une légende australienne rappelle qu'un animal totémique, un certain euro, portait le feu
dans son corps. Un homme le tua. « Il examina
soigneusement le corps pour voir comment l'animal faisait du feu, d'où il venait ; il arracha
l'organe génital mâle qui était très long, le fendit

en deux et s'aperçut qu'il contenait un feu très rouge. » (p. 34). Comment une telle légende pourrait-elle se perpétuer si chaque génération n'avait pas de raisons intimes d'y croire ?

Dans une autre tribu « les hommes n'avaient pas de feu et ne savaient pas en faire, mais les femmes le savaient. Tandis que les hommes étaient partis chasser dans la brousse, les femmes firent cuire leur nourriture et la mangèrent toutes seules. Juste comme elles finissaient leur repas elles virent de loin revenir les hommes. Comme elles ne voulaient pas que les hommes eussent connaissance du feu, elles ramassèrent hâtivement les cendres qui étaient encore allumées et les dissimulèrent dans leur vulve pour que les hommes ne pussent les voir. Quand les hommes arrivèrent, ils dirent : Où est le feu ? Mais les femmes répliquèrent : il n'y a pas de feu. » Et étudiant un tel récit, on doit avouer *la totale impossibilité de l'explication réaliste*, alors que l'explication psychanalytique est au contraire immédiate. Il est bien évident en effet qu'on ne peut cacher à l'intérieur du corps humain, comme le disent tant de mythes, le feu *réel*, le feu *objectif*. C'est également sur le seul plan sentimental qu'on peut mentir aussi effrontément et dire, contre toute évidence, niant le désir le plus intime : il n'y a pas de feu.

Dans un mythe de l'Amérique du Sud, le héros, pour avoir du feu, poursuit une femme : (p. 164). « Il sauta sur elle et la saisit. Il lui dit qu'il la prendrait si elle ne lui révélait pas le secret du feu. Après plusieurs tentatives pour s'échapper, elle y consentit. Elle s'assit sur le sol, les deux jambes largement écartées. Empoignant la partie supérieure de son ventre, elle lui imprima une bonne secousse et une boule de feu roula sur le sol, hors du conduit génital. Ce n'était pas le feu que nous connaissons aujourd'hui il ne brûlait pas et ne faisait pas bouillir les choses. Ces propriétés furent perdues quand la femme le donna ; Ajijeko dit pourtant qu'il pouvait remédier à cela ; il recueillit donc toutes les écorces, tous les fruits, et tout le poivre rouge qui brûlent, et, avec cela et le feu de la femme, il fit le feu dont nous nous servons aujourd'hui. » Cet exemple nous apporte une claire description de passage de la *métaphore à la réalité*. Remarquons que ce passage ne se fait pas, comme le postule l'explication réaliste, de la réalité à la métaphore mais tout au contraire, en suivant l'inspiration de la thèse que nous défendons, des métaphores d'origine subjective à une réalité objective : le feu de l'amour et le feu du poivre réunis finissent par enflammer les herbes sèches. C'est cette absurdité qui explique la découverte du feu.

D'une manière générale, on ne peut lire le livre si riche, si captivant de Frazer sans être frappé de la pauvreté de l'explication réaliste. Les légendes étudiées atteignent sans doute le millier et deux ou trois seulement sont explicitement référées à la sexualité (p. 63-267). Pour le reste, malgré le sens affectif sous-jacent, on imagine que le mythe a été créé en vue des explications objectives. Ainsi, (p. 110) « le mythe

hawaïen de l'origine du feu, comme beaucoup
de mythes australiens de la même sorte, sert
aussi à expliquer la couleur particulière d'une
certaine espèce d'oiseau ». Ailleurs le vol du feu
par un lapin sert à expliquer la couleur rousse ou
noire de sa queue. De telles explications, hypno-
tisées par un détail objectif, manquent à rendre
compte de la primitivité de l'intérêt *affectif*. La
phénoménologie primitive est une phénoménologie de l'affectivité : elle fabrique des êtres objectifs avec des fantômes projetés par la rêverie,
des images avec des désirs, des expériences matérielles avec des expériences somatiques, et du feu
avec de l'amour.

VII

Les romantiques, en revenant à des expériences
plus ou moins durables de la primitivité, retrou-
vent, sans s'en douter, les thèmes du feu sexuel-
lement valorisés. G.-H. von Schubert écrit par
exemple cette phrase qui ne s'éclaire vraiment
que par une psychanalyse du feu [1] : « De même
que l'amitié nous prépare à l'amour de même,
par le frottement des corps semblables, naît la
nostalgie (la chaleur), et l'amour (la flamme)
jaillit. » Comment mieux dire que la nostalgie
c'est le souvenir de la chaleur du nid, le souvenir

1. Cité par Albert Béguin, *L'Ame romantique et le rêve*, 1937, 2 vol.,
I, p. 191.

de l'amour choyé pour le « calidum innatum » ?
La poésie du nid, du bercail, n'a pas d'autre
origine. Aucune impression objective cherchée
dans les nids le long des buissons n'aurait jamais
pu fournir ce luxe d'adjectifs qui valorisent la
tiédeur, la douceur, la chaleur du nid. Sans le
souvenir de l'homme réchauffé par l'homme,
comme un redoublement de la chaleur *naturelle*,
on ne peut concevoir que des amants parlent de
leur nid bien clos. La douce chaleur est ainsi
à l'origine de la conscience du bonheur. Plus
exactement, elle est la conscience des origines du
bonheur.

Toute la poésie de Novalis pourrait recevoir
une interprétation nouvelle si l'on voulait lui
appliquer la psychanalyse du feu. Cette poésie
est un effort pour revivre la *primitivité*. Pour
Novalis, le conte est toujours plus ou moins une
cosmogonie. Il est contemporain d'une âme et
d'un monde qui s'engendrent. Le conte, dit-il,
est « l'ère... de la liberté, l'état primitif de la
nature, l'âge devant que fût le Cosmos » [1]. Voici
alors, dans toute sa claire ambivalence, le *die*
frottement qui va produire et le feu et l'amour.
La belle fille du roi Arctur « s'allongeait appuyée
à de soyeux coussins, sur un trône artistement
taillé dans un énorme cristal de soufre ; et quelques suivantes avec ardeur frictionnaient ses
membres délicats, en lesquels semblaient se
fondre le lait et la pourpre.

« Et à toutes les places où passait la main des
servantes affleurait la lumière ravissante, d

1. Novalis, *Henri d'Ofterdingen*, trad., p. 241, note p. 191.

quoi tout le palais rayonnait de manière si merveilleuse... »

Cette lumière est intime. L'être caressé rayonne
de bonheur. La caresse n'est rien d'autre que
le frottement symbolisé, idéalisé.

Mais la scène continue :

« Le Héros garda le silence.

« — Laisse-moi toucher ton écu, dit-elle avec
douceur. »

Et comme il y consent :

« Son armure vibra ; et une force vivifiante par-
courut tout son corps. Ses yeux jetèrent des éclairs ;
on entendait son cœur battre contre la cuirasse.

« La belle Freya parut plus sereine ; et plus
brûlante se fit la lumière qui s'échappait d'elle.

« — Le roi arrive ! cria un admirable oiseau... »

Si l'on ajoute que cet oiseau, c'est le « Phénix »,
le Phénix qui renaît de ses cendres, comme un
désir un instant apaisé, on voit de reste que cette
scène est marquée de la double primitivité du
feu et de l'amour. Si l'on enflamme quand on
aime, c'est la preuve qu'on a aimé quand on en-
flammait.

« Quand Eros transporté de joie se vit devant
Freya endormie, tout à coup un fracas formi-
dable éclata. Une étincelle puissante avait couru
de la princesse au glaive. »

L'image psychanalytique exacte aurait conduit
Novalis à dire : du glaive à la princesse. En tout
cas « Eros laissa tomber le glaive. Il courut à la
princesse et imprima un baiser de feu sur ses
fraîches lèvres [1]. »

1. Novalis, *loc. cit.*, p. 237.

Si l'on retranchait de l'œuvre de Novalis les intuitions du feu primitif, il semble que toute la poésie et tous les rêves seraient dissipés du même coup. Le cas de Novalis est si caractéristique qu'on pourrait en faire le type d'un complexe particulier. Nommer les choses dans le domaine de la psychanalyse suffit souvent à provoquer un *précipité* : avant le nom, il n'y avait qu'une solution amorphe et trouble, après le nom, on voit des cristaux au fond de la liqueur. Le *complexe de Novalis* synthétiserait alors l'impulsion vers le feu provoqué par le frottement, le besoin d'une chaleur partagée. Cette impulsion reconstituerait, dans sa primitivité exacte, la conquête préhistorique du feu. Le complexe de Novalis est caractérisé par une conscience de la chaleur intime primant toujours une science toute visuelle de la lumière. Il est fondé sur une satisfaction du sens thermique et sur la conscience profonde du bonheur calorifique. La chaleur est un bien, une possession. Il faut la garder jalousement et n'en faire don qu'à un être élu qui mérite une communion, une fusion réciproque. La lumière joue et rit à la surface des choses, mais, seule, la chaleur *pénètre*. Dans une lettre à Schlegel, Novalis écrivait : « Vois en mon conte mon antipathie pour les jeux de la lumière et de l'ombre, et le désir de l'Éther clair, chaud et pénétrant. »

Ce besoin de *pénétrer*, d'aller à l'*intérieur* des choses, à l'*intérieur* des êtres, est une séduction de l'intuition de la chaleur intime. Où l'œil ne va pas, où la main n'entre pas, la chaleur s'insinue. Cette communion par le dedans, cette sympathie

thermique, trouvera, chez Novalis, son symbole
dans la descente au creux de la montagne, dans la
grotte et la mine. C'est là que la chaleur se diffuse
et s'égalise, qu'elle s'estompe comme le contour
d'un rêve. Comme l'a fort bien reconnu Nodier,
toute description d'une descente aux enfers a la
structure d'un rêve [1]. Novalis a rêvé la chaude
intimité terrestre comme d'autres rêvent la froide
et splendide expansion du ciel. Pour lui, le mineur
est un « astrologue renversé », Novalis vit d'une
chaleur concentrée plus que d'une irradiation
lumineuse. Combien souvent il a médité « au bord
des profondeurs obscures »! Il ne fut pas le poète
du minéral parce qu'il était ingénieur de la mine ;
il fut ingénieur, quoique poète, pour obéir à
l'appel souterrain, pour retourner au « calidum
innatum ». Comme il le dit, le mineur est le héros
de la profondeur, préparé « à recevoir les dons
célestes et à s'exalter allégrement au-delà du monde
et de ses misères ». Le mineur chante la Terre :
« A Elle il se sent lié — et intimement uni ; — pour
Elle il se sent la même ardeur — que pour une
fiancée. » La Terre est le sein maternel, chaude
comme un giron pour un inconscient d'enfant. La
même chaleur anime et la pierre et les cœurs (p. 127).
« On dirait que le mineur a dans les veines le feu
intérieur de la terre qui l'excite à la parcourir. »

Au centre sont les germes ; au centre est le
feu qui engendre. Ce qui germine brûle. Ce qui
brûle germine. « J'ai besoin... de fleurs poussées dans le Feu... — Zinc! cria le Roi [1], don-

---

1. Voir Charles Nodier, Deuxième préface de *Smarra*.
1. Novalis, *loc. cit.*, p. 227.

ne-nous des fleurs... Le jardinier sortit des rangs, alla prendre un pot plein de flammes et y sema une graine brillante. Il ne se passa pas longtemps avant que les fleurs surgissent... »

Peut-être un esprit positif se fera fort de développer ici une interprétation *pyrotechnique*. Il nous montrera la flamme éclatante du zinc projetant dans l'air les flocons blancs et éblouissants de son oxyde. Il écrira la formule d'oxydation. Mais cette interprétation *objective*, en retrouvant une cause chimique du phénomène qui émerveille, ne nous portera jamais au centre de l'image, au noyau du complexe novalisien. Cette interprétation nous trompera même sur la classification des valeurs imagées, car, en la suivant, nous ne comprendrons pas que chez un poète comme Novalis le besoin de sentir domine le besoin de voir et qu'avant la lumière gœthéenne, il faut ici placer la douce chaleur obscure, inscrite dans toutes les fibres de l'être.

Sans doute, il y a dans l'œuvre de Novalis des tons plus adoucis. Souvent l'amour fait place à la nostalgie dans le sens même de von Schubert ; mais la marque chaude reste ineffaçable. Vous objecterez encore que Novalis est le poète « de la petite fleur bleue », le poète du myosotis lancé en gage du souvenir impérissable, au bord du précipice, dans l'ombre même de la mort. Mais allez au fond de l'inconscient ; retrouvez, avec le poète, le rêve primitif et vous verrez clairement la vérité : elle est rouge la petite fleur bleue !

CHAPITRE IV

Le feu sexualisé

Si la conquête du feu est primitivement une « conquête » sexuelle, on ne devra pas s'étonner que le feu soit resté si longtemps et si fortement sexualisé. Il y a là un thème de valorisation qui trouble profondément les recherches objectives sur le feu. Aussi, dans ce chapitre, avant d'aborder, dans le chapitre suivant, la chimie du feu, nous allons montrer la nécessité d'une psychanalyse de la connaissance objective. La valorisation sexuelle que nous voulons dénoncer peut être cachée ou explicite. Naturellement, ce sont les valeurs sourdes et obscures qui sont les plus réfractaires à la psychanalyse. Ce sont aussi les plus agissantes. Les valeurs claires ou claironnées sont immédiatement réduites par le ridicule. En vue de bien marquer la *résistance* de l'inconscient le plus caché, commençons donc par des exemples où cette résistance est si faible que le lecteur, en riant, va faire la réduction de lui-même, sans que nous ayons à souligner davantage des erreurs manifestes.

Pour Robinet [1], le feu élémentaire est capable de *reproduire* son semblable. C'est là une expression usée et *sans valeur* sur laquelle on passe d'habitude sans prêter attention. Mais Robinet lui donne le sens premier et fort. Il pense que l'*élément du feu est né d'un germe spécifique*. Aussi, comme toute puissance qui *engendre*, le feu peut être frappé de stérilité, dès qu'il a un certain âge. Dès lors, sans paraître avoir connaissance des récits sur les fêtes du feu nouveau, du feu rénové, Robinet, dans sa rêverie, retrouve pour le feu, la *nécessité génétique*. Si on laisse le feu à sa vie naturelle, même en le nourrissant, il vieillit et meurt comme les animaux et les plantes.

Naturellement, les divers feux doivent porter la marque indélébile de leur individualité [2] : « Le feu commun, le feu électrique, celui des phosphores, celui des volcans, celui du tonnerre, ont des différences essentielles, intrinsèques, qu'il est naturel de rapporter à un principe plus interne qu'à des accidents qui modifieront la même matière ignée.» On voit déjà à l'œuvre l'intuition d'une substance saisie dans son intimité, dans sa vie, et bientôt dans sa puissance de génération. Robinet continue : « Chaque tonnerre pourrait bien être l'effet d'une production nouvelle d'Êtres ignés qui, croissant rapidement par l'abondance des vapeurs qui les nourrissent, sont rassemblés par les vents et portés çà et là dans la moyenne région de l'air. Les nouvelles bouches des volcans si multipliées en

1. J.-B. Robinet, *De la Nature*, 3ᵉ éd., 4 vol., Amsterdam, 1766, t. I, p. 217.
2. Robinet, *loc. cit.*, t. I, p. 219.

Amérique, les nouvelles éruptions des anciennes
bouches annonceraient aussi les fruits et la fécondité des feux souterrains. » Bien entendu, cette
fécondité n'est pas une métaphore. Il faut la
prendre dans son sens sexuel le plus précis.

Ces êtres ignés, nés du Tonnerre, en un coup
de foudre, échappent à l'observation. Mais Robinet
prétend avoir à sa disposition des observations
précises [1] : « Hooke ayant battu une pierre à fusil
sur une feuille de papier, et ayant examiné avec
un bon microscope les endroits où les étincelles
étaient tombées, qui étaient marqués par de
petites taches noires, y a aperçu des atomes ronds
et brillants, quoique la simple vue n'y découvrît
rien. C'étaient de petits vers luisants. »

La vie du feu, tout entière en étincelles et en
saccades, ne rappelle-t-elle pas la vie de la four-
milière ? (p. 235). « Au moindre événement, on voit
les fourmis grouiller et sortir tumultueusement de
leur demeure souterraine : de même à la moindre
secousse d'un phosphore, on voit les animalcules
ignés se rassembler et se produire en dehors sous
une apparence lumineuse. »

Enfin, seule la vie est capable de donner une
raison *profonde et intime* de l'individualité manifeste des couleurs. Pour expliquer les sept couleurs
du spectre, Robinet n'hésite pas à proposer « sept
âges ou périodes dans la vie des animalcules ignés...
Ces animaux en passant par le prisme seront obligés
de se réfracter chacun selon sa force, selon son âge,
et chacun portera ainsi sa couleur propre. » N'est-il

---

1. Robinet, *loc. cit.*, t. IV, p. 234.

pas vrai que le feu mourant rougeoie ? Pour qui a soufflé sur un feu paresseux, il y a une bien claire distinction entre le feu récalcitrant qui *tombe* au rouge et le jeune feu qui tend, comme le dit si joliment un alchimiste, « vers la haute rougeur du pavot champêtre ». Devant le feu qui meurt, le souffleur se décourage ; il ne se sent plus assez d'ardeur pour communiquer sa propre puissance. S'il est réaliste comme Robinet, il *réalise* son découragement et son impuissance, il fait un fantôme de sa propre fatigue. Ainsi la marque de l'homme mobile est mise dans les choses. Ce qui décline ou ce qui monte en nous devient le signe d'une vie étouffée ou en éveil dans le réel. Une telle communion poétique prépare les erreurs les plus tenaces pour la connaissance objective.

Il suffirait d'ailleurs, comme nous en avons souvent fait la remarque, de rendre imprécise et vague l'intuition si ridicule sous la forme donnée par Robinet, pour que cette intuition une fois poétisée, rendue à son sens subjectif, soit acceptée sans difficulté. Ainsi les formes animées de la couleur, si elles restent des puissances animiques ardentes ou pâlies, si elles sont créées, non plus sur l'axe qui va des objets à la pupille, mais sur l'axe du regard passionné qui projette un désir et un amour, deviennent les nuances d'une tendresse. C'est ainsi que Novalis peut écrire [1] : « Un rayon de lumière se brise en quelque chose de tout autre encore qu'en couleurs. Du moins, le rayon de lumière est susceptible d'être animé, de sorte

---

1. Novalis, *Journal intime*, suivi... de *Maximes inédites*, Paris, p. 106.

que l'âme s'y brise en couleurs animiques. Qui ne
songe en ce moment au regard de l'aimée ? » A
bien y réfléchir, Robinet ne fait qu'alourdir et
accentuer une image que Novalis estompera et
rendra à sa forme éthérée ; mais dans l'inconscient
les deux images apparaissent congénères, et la
parodie objective de Robinet ne fait que grossir
les traits de la rêverie intime de Novalis. Ce rapprochement, qui semblera incongru aux âmes poétiques,
nous aide cependant à psychanalyser mutuellement deux rêveurs situés aux antipodes de la
réalité. Il nous donne un exemple de ces formes
mêlées de désirs qui produisent aussi bien des poèmes que des philosophies. La philosophie peut
être mauvaise alors même que les poèmes sont
beaux.

II

Maintenant que nous avons étalé une interprétation abusive de l'intuition animiste et sexualisée
du feu, nous allons sans doute mieux comprendre
tout ce qu'il y a de vain dans ces affirmations
sans cesse répétées comme des vérités éternelles :
le feu, c'est la vie ; la vie est un feu. En d'autres
termes, nous voulons dénoncer cette fausse évidence qui prétend relier la vie et le feu.

Au principe de cette assimilation, il y a, croyons-
nous, l'impression que l'étincelle, comme le germe,
est une petite cause qui produit un grand effet.

D'où une intense valorisation du mythe de la puissance ignée.

Mais commençons par montrer l'équation du germe et de l'étincelle et rendons-nous compte que, par un jeu de réciproques inextricables, le germe est une étincelle et l'étincelle un germe. L'un ne va pas sans l'autre. Quand deux intuitions comme celles-là sont liées, l'esprit croit *penser* alors qu'il ne fait qu'aller d'une métaphore à une autre. Une psychanalyse de la connaissance objective consiste précisément à mettre au clair ces transpositions fugitives. A notre avis, il suffit de les mettre les unes à côté des autres pour voir qu'elles ne reposent sur rien, mais simplement l'une sur l'autre. Voici un exemple de l'assimilation facile que nous incriminons [1] : « Que l'on allume un énorme monceau de charbon avec la plus faible lumière, une étincelle mourante..., deux heures après ne formera-t-il pas un brasier tout aussi considérable, que si vous l'eussiez allumé tout d'un coup avec une torche de feu ? Voilà l'histoire de la génération : l'homme le plus délicat fournit assez de feu pour la génération, et la rend aussi sûre en s'accouplant que l'homme beaucoup plus fort. » De telles comparaisons peuvent satisfaire des esprits sans netteté ! En fait, loin d'aider à comprendre les phénomènes, elles forment de véritables obstacles à la culture scientifique.

Vers la même date, en 1771, un médecin développe longuement une théorie de la fécondation

---

1. De Malon, *Le Conservateur du sang humain, ou la saignée démontrée toujours pernicieuse et souvent mortelle*, 1767, p. 146.

humaine fondée sur le feu, richesse majeure, puissance générante [1] : « L'affaissement qui suit l'émis-
sion de la liqueur spermatique nous annonce au
moins que l'on fait dans ce moment la perte d'un
fluide bien fervent, bien actif. S'en prendra-t-on
à la petite quantité de ce suc moelleux, palpable,
contenu dans les vésicules séminales ? L'économie
animale, pour laquelle il était déjà comme n'exis-
tant plus, s'apercevrait-elle intantanément de la
soustraction d'une pareille humeur ? Non sans
doute. Mais il n'en est pas de même de la matière
du feu dont nous n'avons qu'une certaine dose, et
dont tous les foyers sont en communication
directe... » Ainsi perdre chair, moelle, suc et fluide,
c'est peu. Perdre le feu, le feu séminal, voilà le
grand sacrifice. Seul ce sacrifice peut engendrer la
vie. On voit de reste avec quelle facilité se fonde la
valorisation indiscutée du feu.

Des auteurs qui sont sans doute de second
ordre mais qui, par cela même, nous livrent plus
naïvement les intuitions sexuelles valorisées par
l'inconscient, développent parfois toute une théorie
sexuelle fondée sur des thèmes spécifiquement
calorigènes, prouvant ainsi la confusion originelle
des intuitions de semence et de feu. Le docteur
Pierre-Jean Fabre expose ainsi, en 1636, la naissance des femelles et des mâles : « la semence
desquels est une et semblable en toutes ses parties
et de pareil tempérament, cependant pour s'être
seulement divisée dans la matrice et l'une s'être

---

1. Jean-Pierre David, *Traité de la Nutrition et de l'accroissement*,
précédé d'une dissertation sur l'usage des eaux de l'amnios.

retirée du côté droit, et l'autre du côté gauche, cette seule division de la semence lui cause une telle différence... non seulement en forme et en figure, mais en sexe, l'un sera mâle, et l'autre femelle : Et c'est la partie de la semence qui se sera retirée du côté droit, comme étant la partie du corps la plus chaude et vigoureuse qui aura entretenu la force et la vigueur et chaleur de la semence, d'où sera sorti un mâle ; et l'autre partie pour s'être retirée du côté gauche, qui est la partie plus froide du corps humain, aura là reçu des qualités froides, qui auront de beaucoup diminué et amoindri la vigueur de la semence, et de là sera sortie la femelle, qui cependant en sa première source était toute mâle[1]. »

Avant d'aller plus loin, faut-il souligner la gratuité complète de telles affirmations qui restent sans le moindre rapport avec une expérience *objective* quelconque. On n'en voit même pas le prétexte dans l'observation *extérieure*. Dès lors, d'où proviennent de telles vésanies sinon d'une valorisation intempestive des phénomènes *subjectifs* attribués au feu ? Fabre substantialise d'ailleurs par le feu toutes les qualités de force, de courage, d'ardeur, de virilité (p. 375. « Les femmes à cause de ce tempérament froid et humide (sont) moins fortes que les hommes, plus timides et moins courageuses, à cause que la force, le courage et l'action viennent du feu et de l'air, qui sont les éléments actifs ; et partant les appelle-t-on mâles ;

1. Jean-Pierre Fabre, *L'Abrégé des secrets chimiques.*, Paris, 1636, p. 374.

et les autres éléments l'eau et la terre, éléments
passifs et femelles. »

En accumulant tant de sottises, nous voulons
donner l'exemple d'un état d'esprit qui *réalise* à
plein les métaphores les plus insignifiantes. Actuellement, comme l'esprit scientifique a changé
plusieurs fois de structure, il est habitué à de si nombreuses transpositions de sens qu'il est moins souvent victime de ses expressions. Tous les concepts
scientifiques ont été *redéfinis*. Nous avons rompu,
dans notre vie consciente, le contact direct avec
les étymologies premières. Mais l'esprit préhistorique, et a fortiori l'inconscient ne détache pas le
mot de la chose. S'il parle d'un homme plein de
feu, il veut que quelque chose *brûle* en lui. Au
besoin on soutiendra ce feu par un breuvage. Toute
impression de réconfort vient d'un cordial. Tout
cordial est un aphrodisiaque pour l'inconscient.
Fabre ne croit pas impossible que « par un bon
aliment, tendant à un tempérament chaud et sec,
la chaleur faible des femelles ne puisse devenir
forte à tel degré, qu'elle ait moyen de pousser au
dehors les parties que sa faiblesse avait retenues
au-dedans ». Car « les femmes sont des hommes
occultes, parce qu'elles ont les éléments mâles
cachés au-dedans » (p. 376). Comment mieux dire
que le principe du feu est la mâle activité, et que
cette activité toute physique comme une dilatation est le principe de la vie ? Cette image que les
hommes ne sont que des femmes dilatées par la
chaleur est facile à psychanalyser. Notons aussi
la cohésion facile des idées confuses de chaleur,
d'aliments, de génération : ceux qui souhaitent

des « enfants mâles tâcheront de se nourrir de tous bons aliments chauds et ignés ».

Le feu commande les qualités morales comme les qualités physiques. La subtilité d'un homme vient de son tempérament chaud (p. 386). « Ici les Physionomistes sont excellents ; car quand ils voient un homme grêle, sec en température, la tête médiocre, les yeux brillants dans la tête, les cheveux châtains, ou noirs, la stature du corps carrée et médiocre, ils assurent pour lors que cet homme est prudent et sage et plein d'esprit et de subtilité. » Au contraire, « les hommes hauts et grands sont humides et mercuriels, la subtilité, sagesse et prudence, n'est jamais en son plus haut degré en ces sujets ; car le feu, d'où vient la sagesse et la prudence, n'est jamais vigoureux dans les corps si grands et si vastes, car il est divagant et étendu ; et l'on n'a jamais vu chose qui soit dans la nature vagante et étendue, forte et puissante. La force demande à être compacte et pressée : l'on voit la force du feu être tant plus forte qu'elle est pressée et serrée. Les canons nous le montrent »... Comme toute richesse, le feu est rêvé dans sa concentration. On veut l'enfermer dans un petit espace pour mieux le garder. Tout un type de rêverie nous ramène à la méditation du concentré. C'est la revanche du petit sur le grand, du caché sur le manifeste. Pour nourrir une rêverie de ce genre, un esprit préscientifique fait converger, comme nous venons de le voir, les images les plus hétéroclites, l'homme brun et le canon. En règle presque constante, c'est dans la rêverie du petit et du concentré, et non pas dans la rêverie du grand, que l'esprit, longtemps ruminant, finit par trouver le passage qui le conduit à la pensée scientifique. En tout cas la pensée du feu, plus que celle de tout autre principe, suit la pente de cette rêverie vers une puissance concentrée. Elle est, dans le monde de l'objet, l'homologue de la rêverie de l'amour dans le cœur d'un homme taciturne.

Il est si vrai que le principe de toute semence est le feu pour un esprit préscientifique que le moindre aspect extérieur suffit à en donner la preuve. Ainsi, pour le comte de Lacépède[1] : « Les poussières séminales [des plantes sont des substances très inflammables... celles que fournit la plante nommée lycoperdon, est une espèce de soufre. » Affirmation d'une chimie de la surface et de la couleur que contredirait le moindre effort de la chimie objective de la substance.

Parfois le feu est le principe formel de l'individualité. Un alchimiste écrivant une Lettre philosophique publiée à la suite du *Cosmopolite* en 1723 nous expose que le feu n'est pas à proprement parler un corps, mais qu'il est le principe mâle qui informe la matière femelle. Cette matière femelle, c'est l'eau. L'eau élémentaire « était froide, humide, crasse, impure et ténébreuse, et tenait dans la création le lieu de femelle, de même que le feu, dont les étincelles innombrables comme des mâles différents, contenait autant de teintures propres à la procréation des créatures particulières... On

---

1. Comte de Lacépède, *Essai sur l'électricité naturelle et artificielle*, 2 vol., Paris, 1871, t. II, p. 169.

peut appeler ce feu la forme, comme l'eau la
matière, confondues ensemble dans le chaos[1]. » Et
l'auteur renvoie à la Genèse. On reconnaît ici,
sous la forme obscure, l'intuition ridiculisée par
les images *précises* de Robinet. Ainsi, on peut voir
qu'au fur et à mesure que l'erreur s'enrobe dans
l'inconscient, au fur et à mesure qu'elle perd ses
contours précis, elle devient plus tolérable. Il
suffirait d'un pas de plus pour qu'on trouve dans
cette voie la douce sécurité des métaphores philosophiques. Redire que le feu est un *élément* c'est,
d'après nous, réveiller des résonances sexuelles ;
c'est penser la substance dans sa production, dans
sa *génération* ; c'est retrouver l'inspiration alchimique qui parlait d'une eau ou d'une terre *élémen-
tées* par le feu, d'une matière *embryonnée* par le
soufre. Mais tant qu'on ne donne pas un dessin
précis de cet *élément*, une description détaillée des
diverses phases de cette *élémentation*, on bénéficie
à la fois du mystère et de la force de l'image primitive. Si, ensuite, on solidarise le feu qui anime
notre cœur et le feu qui anime le monde, il semble
qu'on communie avec les choses dans un sentiment
si puissant et si primitif, que la critique précise
soit désarmée. Mais que penser d'une *philosophie
de l'élément* qui prétend échapper à une critique
précise et se satisfaire d'un principe général qui,
dans chaque cas particulier, se révèle lourd de tares
premières, et naïf comme un rêve d'amant ?

---

1. *Cosmopolite ou nouvelle lumière chymique*, Paris, 1723, p. 7.

III

Nous avons essayé de montrer, dans un ouvrage précédent[1], que toute l'Alchimie était traversée par une immense rêverie sexuelle, par une rêverie de richesse et de rajeunissement, par une rêverie de puissance. Nous voudrions démontrer ici que cette *rêverie sexuelle* est une *rêverie du foyer*. On pourrait même dire que l'alchimie *réalise* purement et simplement les caractères sexuels de la *rêverie du foyer*. Loin d'être une *description* des phénomènes objectifs, elle est une tentative d'*inscription* de l'amour humain au cœur des choses.

Ce qui peut de prime abord masquer ce caractère psychanalytique, c'est que l'alchimie prend rapidement une tournure abstraite. En effet, elle travaille avec le *feu clos*, avec le feu enfermé dans un fourneau. Les images que prodiguent les flammes et qui poussent à une rêverie plus envolée, plus libre, sont alors écourtées et décolorées au bénéfice d'un songe plus précis et plus ramassé. Voyons donc l'alchimiste dans son atelier souterrain, près de son fourneau.

On a déjà fait observer maintes fois que plusieurs fourneaux et cornues avaient des formes sexuelles indéniables. Des auteurs en font explicitement la

---

1. *La formation de l'esprit scientifique.* Contribution à une psychanalyse de la connaissance objective. Paris, Vrin 1938.

remarque. Nicolas de Locques, « médecin spagy-
rique de Sa Majesté » écrit en 1655 [1] : « Pour blan-
chir, digérer, épaissir comme en la préparation
et confection des Magistères, (les alchimistes
prennent un récipient) à la forme des Mamelles,
ou à la forme des Testicules pour l'élaboration de
la semence masculine et féminine dans l'Animal,
et le nomment Pélican. » Sans doute, c'est un fait
dont nous avons montré ailleurs la généralité, que
cette homologie symbolique des différents vases
alchimiques et des différentes parties du corps
humain. Mais c'est peut-être du côté sexuel que
cette homologie est la plus nette, la plus convaincante. Ici le feu, enfermé dans la cornue sexuelle,
est saisi dans son origine première : il a alors toute
son efficacité.

La technique, ou plutôt la philosophie du feu
dans l'alchimie, est d'ailleurs dominée par des
spécifications sexuelles très nettes. D'après un
auteur anonyme écrivant à la fin du XVIIe siècle[2] :
Il y a « trois sortes de feux, le naturel, l'innaturel
et le feu contre nature. Le naturel est le feu masculin, le principal agent, mais pour l'avoir il faut que
l'Artiste emploie tous ses soins et toute son étude,
car il est tellement languissant dans les métaux et
si fort concentré en eux, que sans un travail opi-
niâtre on ne peut le mettre en action. Le feu innaturel est le feu féminin, et le dissolvant universel,
nourrissant les corps et couvrant de ses ailes la

---

1. Nicolas de Locques, *Les Rudiments de la Philosophie naturelle
touchant le système du corps mixte*, 2 vol., Paris, 1665.
2. *La lumière sortant de soi-même des ténèbres*, écrite en vers italiens,
trad. par B. D. L. 2e éd. Paris 1693.

nudité de la Nature, il n'y a pas moins de peine à l'avoir que le précédent. Celui-ci paraît sous la forme d'une fumée blanche et il arrive très souvent que sous cette forme il s'évanouit par la négligence des Artistes. Il est presque. incompréhensible, quoique, par la sublimation physique, il apparaisse corporel et resplendissant. Le feu contre nature est celui qui corrompt le composé et qui le premier a la puissance de dissoudre ce que la Nature avait fortement lié »... Faut-il souligner le signe féminin attaché à la fumée, la femme inconstante du vent, comme dit Jules Renard ? Toute apparition voilée n'est-elle pas féminine en vertu de ce principe fondamental de la sexualisation inconsciente : tout ce qui est caché est féminin ? La dame blanche qui court le vallon visite la nuit l'alchimiste, belle comme l'imprécis, mobile comme un rêve, fugitive comme l'amour. Un instant elle enveloppe de sa caresse l'homme endormi : un souffle trop brusque et elle s'évapore... Ainsi le chimiste manque une réaction.

Du point de vue calorifique, la distinction sexuelle est très nettement complémentaire. Le principe féminin des choses est un principe de surface et d'enveloppe, un giron, un refuge, une tiédeur. Le principe masculin est un principe de centre, un centre de puissance, actif et soudain comme l'étincelle et la volonté. La chaleur féminine attaque les choses du dehors. Le feu masculin les attaque du dedans, au cœur de l'essence. Tel est le sens profond de la rêverie alchimique. D'ailleurs pour bien comprendre cette sexualisation des feux alchimiques et la valorisation nettement pré-

dominante du feu masculin en action dans la
semence, il ne faut pas oublier que l'alchimie est
uniquement une science d'hommes, de célibataires,
d'hommes sans femme, d'initiés retranchés de la
communion humaine au profit d'une société masculine. Elle ne reçoit pas directement les influences
de la rêverie féminine. Sa doctrine du feu est donc
fortement polarisée par des désirs inassouvis.

Ce feu intime et mâle, objet de méditation de
l'homme isolé, est naturellement le feu le plus puissant. En particulier, c'est lui qui peut « ouvrir les
corps ». Un auteur anonyme écrivant au début du
XVIIIe siècle présente très nettement cette valorisation du feu enfermé dans la matière. « L'art imitant la Nature, ouvre un corps par le feu, mais avec
un bien plus fort que le Feu du feu des feux clos. »
Le surfeu préfigure le surhomme. Réciproquement, le surhomme, dans sa forme irrationnelle,
rêvé comme une revendication d'une puissance
uniquement subjective, n'est guère qu'un surfeu.

Cette « ouverture » des corps, cette possession
des corps par le dedans, cette possession *totale*,
est parfois un acte sexuel manifeste. Elle se fait,
comme le disent certains alchimistes, avec la
Verge du Feu. Les expressions similaires et les
figures qui abondent dans certains livres d'alchimie
ne laissent aucun doute sur le sens de cette possession.

Quand le feu accomplit des fonctions obscures,
on devrait s'étonner que les images sexuelles restent si claires. En fait, la persistance de ces images,
dans des domaines où la symbolisation directe
reste trouble, prouve l'origine sexuelle des idées

sur le feu. Il suffira, pour s'en rendre compte, de lire
dans les livres d'alchimie le long récit du *mariage*
du Feu et de la Terre. On pourra expliquer ce
mariage à trois points de vue : dans sa signification
matérielle, comme le font toujours les historiens
de la chimie ; dans sa signification poétique, comme
le font toujours les critiques littéraires ; dans
sa signification originelle et inconsciente comme
nous le proposons ici. Juxtaposons sur un point
précis les trois explications : Prenons les vers alchimiques souvent cités :

> *Si le fixe tu sais dissoudre*
> *Et le dissous faire voler*
> *Puis le volant fixer en poudre*
> *Tu as de quoi te consoler.*

On trouvera sans peine des exemples chimiques
qui illustreront le phénomène d'une terre dissoute
qui est ensuite sublimée en distillant la dissolution.
Si l'on « coupe alors les ailes de l'esprit », si l'on
sublime, on aura un sel pur, *le ciel du mixte terrestre.* On aura effectué un mariage matériel de la
terre et du ciel. Suivant la belle et pesante expression, voilà « l'Uranogée ou le Ciel terrifié ».

Novalis transportera le même thème dans le
monde des rêves amoureux [1] : « Qui sait si notre
amour ne deviendra pas un jour des ailes de flammes, et elles nous emporteront dans notre patrie
céleste avant que l'âge et la mort ne nous atteignent. » Mais cette aspiration vague a son contraire
et, dans Novalis, la Fable le voit bien « en

---

1. Novalis, *Henri d'Ofterdingen,* trad., p. 186.

regardant par la fissure du rocher... Persée
avec son grand bouclier de fer ; les ciseaux
volèrent d'eux-mêmes vers le bouclier, et Fable
le pria d'en rogner les ailes de l'Esprit, puis, au
moyen de son égide, de vouloir bien immor-
taliser les sœurs et parachever le grand œuvre...
(Alors) il n'y a plus de lin à filer. L'inanimé
est de nouveau sans âme. L'animé régnera
désormais, et c'est lui qui modèlera l'inanimé et
en usera. Lintérieur se révèle et l'extérieur se
cèle. »

Sous une poésie, d'ailleurs étrange, qui n'émeut
pas directement le goût classique, il y a dans cette
page la trace profonde d'une méditation sexuelle
du feu. Après le désir, il faut que la flamme abou-
tisse, il faut que le feu s'achève et que les destins
s'accomplissent. Pour cela l'alchimiste et le poète
coupent et apaisent le jeu brûlant de la lumière.
Ils séparent le ciel de la terre, la cendre du sublimé,
l'extérieur de l'intérieur. Et quand l'heure du
bonheur est passée, Tourmaline, la douce Tourmaline « recueille avec soin les cendres amassées ».

Ainsi le *feu sexualisé* est par excellence le trait
d'union de tous les symboles. Il unit la matière
et l'esprit, le vice et la vertu. Il idéalise les connaissances matérialistes ; il matérialise les connaissances idéalistes. Il est le principe d'une ambiguïté essentielle qui n'est pas sans charme mais
qu'il faut sans cesse avouer, sans cesse psychanalyser dans deux utilisations contraires : contre les
matérialistes et contre les idéalistes : « Je manipule,
dit l'Alchimiste. — Non, tu rêves. — Je rêve, dit
Novalis. — Non, tu manipules. » La raison d'une

dualité si profonde, c'est que le feu est en nous et hors de nous, invisible et éclatant, esprit et fumée.

IV

Si le feu est aussi captieux, aussi ambigu, on devrait commencer toute psychanalyse de la connaissance objective par une psychanalyse des intuitions du feu. Nous ne sommes pas éloigné de croire que le feu est très précisément le premier objet, le *premier phénomène* sur lequel l'esprit humain est *réfléchi* ; entre tous les phénomènes, le feu seul mérite, pour l'homme préhistorique, le désir de connaître par cela même qu'il accompagne le désir d'aimer. Sans doute, on a souvent répété que la conquête du feu séparait définitivement l'homme de l'animal, mais on n'a peut-être pas vu que l'esprit, dans son destin primitif, avec sa poésie et sa science, s'était formé dans la méditation du feu. L'*homo faber* est l'homme des surfaces, son esprit se fige sur quelques objets familiers, sur quelques formes géométriques grossières. Pour lui, la sphère n'a pas de centre, elle réalise simplement le geste arrondi qui solidarise le creux des mains. L'*homme rêvant* devant son foyer est, au contraire, l'homme des profondeurs et l'homme d'un devenir. Ou encore, pour mieux dire, le feu donne à l'homme qui rêve la leçon d'une profondeur qui a un devenir : la flamme sort du cœur des branches. D'où cette intuition de Rodin que Max Scheler cite sans la commenter, sans en voir sans doute le caractère nettement primitif [1] : « Toute chose n'est que la limite de la *flamme* à laquelle elle doit son existence. » Sans notre conception du feu intime formateur, du feu saisi comme facteur de nos idées et de nos rêves, du feu considéré comme germe, la flamme objective, entièrement destructive, ne peut expliquer la profonde intuition de Rodin. A méditer cette intuition, on comprend que Rodin soit en quelque sorte le sculpteur de la profondeur et qu'il ait en quelque manière, contre la nécessité inéluctable de son métier, poussé les traits du dedans vers le dehors, comme une vie, comme une flamme.

Dans ces conditions, nous ne devons plus nous étonner que les ouvrages du feu soient si facilement sexualisés. D'Annunzio nous montre Stelio qui contemple, à la verrerie, dans le four à recuire « prolongement du four à fondre, les vases brillants, encore esclaves du feu, encore sous son empire... Ensuite les belles créatures frêles abandonnaient leur père, se détachaient de lui pour toujours ; elles se refroidissaient, devenaient de froides gemmes, vivaient de leur vie nouvelle dans le monde, entraient au service des hommes voluptueux, rencontraient des périls, suivaient les variations de la lumière, recevaient la fleur coupée ou la boisson enivrante [1]. » Ainsi « l'éminente dignité des arts du feu » provient de ce que leurs ouvrages portent la marque la plus profondément humaine, la marque de l'amour primitif. Ils sont les œuvres d'un *père*. Les formes créées

1. Max Scheler, *Nature et forme de la sympathie*, trad., p. 120.
1. D'Annunzio, *Le Feu*, trad., p. 325.

par le feu sont modelées, plus que toute autre, comme le dit si bien Paul Valéry « à fin de caresses[1] ».

Mais une psychanalyse de la connaissance objective doit encore aller plus loin. Elle doit reconnaître que *le feu est le premier facteur du phénomène*. En effet, on ne peut parler d'un monde du phénomène, d'un monde des apparences que devant un monde qui *change* d'apparences. Or, primitivement, seuls les changements par le feu sont des changements profonds, frappants, rapides, merveilleux, définitifs. Les jeux du jour et de la nuit, les jeux de la lumière et de l'ombre sont des aspects superficiels et passagers qui ne troublent pas beaucoup la connaissance monotone des objets. Le fait de leur alternative en écarte, comme l'ont fait remarquer les philosophes, le caractère causal. Si le jour est le père et la cause de la nuit, la nuit est la mère et la cause du jour. Le mouvement lui-même ne suscite guère de réflexion. L'esprit humain ne commence pas comme une classe de physique. Le fruit qui tombe de l'arbre et le ruisseau qui coule ne posent aucune énigme à un esprit naïf. L'homme primitif contemplait le ruisseau, sans penser :

Comme un pâtre assoupi regarde l'eau couler.

Mais voici les changements substantiels : ce que lèche le feu a un autre goût dans la bouche des hommes. Ce que le feu a illuminé en garde une couleur ineffaçable. Ce que le feu a caressé, aimé,

---

1. Paul Valéry, *Pièces sur l'art*, p. 13.

adoré, a gagné des souvenirs et perdu l'innocence.
En argot, flambé est synonyme de perdu, soit
dit pour ne pas employer un mot grossier chargé
de sexualité. Par le feu tout change. Quand on
veut que tout change, on appelle le feu. Le premier
phénomène, c'est non seulement le phénomène
du feu contemplé, en une heure oisive, dans sa
vie et dans son éclat, c'est le phénomène *par* le
feu. Le phénomène par le feu est le plus sensible
de tous ; c'est celui qu'il faut le mieux surveiller ;
il faut l'activer ou le ralentir ; il faut saisir le
point de feu qui marque une substance comme
l'instant d'amour qui marque une existence.
Comme le dit Paul Valéry, dans les arts du feu [1]
« nul abandon, point de répit ; point de fluctua-
tions de pensée, de courage ou d'humeur. Ils
imposent, sous l'aspect le plus dramatique, le
combat resserré de l'homme et de la forme. Leur
agent essentiel, le *feu*, est aussi le plus grand
ennemi. Il est un agent de précision redoutable
dont l'opération merveilleuse sur la matière qu'on
propose à son ardeur est rigoureusement bornée,
menacée, définie par quelques *constantes* physiques ou chimiques difficiles à observer. Tout
écart est fatal : la pièce est ruinée. Si le feu s'as-
soupit ou que le feu s'emporte, son caprice est
désastre »...

A ce phénomène *par* le feu, à ce phénomène
sensible entre tous, marqué pourtant dans les
profondeurs de la substance, il faut donner un
nom : le premier phénomène qui vaille l'atten-

---

1. Paul Valéry, *loc, c t.*, p. 9.

tion de l'homme, c'est le *pyromène*. Nous allons
voir maintenant comment ce pyromène, si intimement compris par l'homme préhistorique,
a déçu, pendant des siècles, les efforts des savants.

CHAPITRE V

La chimie du feu :
histoire d'un faux problème

Dans ce chapitre, nous allons, en apparence, changer de domaine d'étude ; nous allons en effet essayer d'étudier les efforts de la connaissance objective des phénomènes produits par le feu, des pyromènes. Mais, d'après nous, ce problème est à peine un problème d'histoire scientifique, car la science y est adultérée précisément par les valorisations dont nous venons de montrer l'action dans les chapitres précédents. De sorte que finalement, nous n'avons guère à traiter que de l'histoire des *embarras* que les intuitions du feu ont accumulés dans la science. Les intuitions du feu sont des *obstacles épistémologiques* d'autant plus difficiles à renverser qu'elles sont plus claires psychologiquement. D'une manière peut-être un peu détournée, il s'agit donc bien d'une psychanalyse qui continue malgré la différence des points de vue. Au lieu de s'adresser au poète et au rêveur, cette psychanalyse s'attache aux chimistes et aux biologistes des siècles passés. Mais précisément elle surprend une *continuité* de la pensée et de la rêverie et elle s'aperçoit que dans cette union de la pensée et des rêves, c'est toujours la pensée qui est déformée et vaincue. Il est donc nécessaire, comme nous l'avons proposé dans un ouvrage précédent, de psychanalyser l'esprit scientifique, de l'obliger à une pensée discursive qui, loin de *continuer* la rêverie, l'arrête, la désagrège, l'interdit.

On peut avoir une preuve rapide que le problème du feu se prête mal à un exposé historique. M. J. C. Gregory a consacré un livre clair et intelligent à l'histoire des doctrines de la combustion depuis Héraclite jusqu'à Lavoisier. Or ce livre *lie* les idées avec une telle rapidité que cinquante pages suffisent à dire « la science » de vingt siècles. Au surplus, si l'on se rend compte que ces théories se révèlent avec Lavoisier comme objectivement fausses, un scrupule doit venir sur le caractère *intellectuel* de ces doctrines. En vain on objectera que les doctrines aristotéliciennes sont plausibles, qu'elles peuvent, sous des modifications appropriées, expliquer des états différents de la connaissance scientifique, *s'adapter* à la philosophie de diverses périodes, il reste qu'on ne définit pas bien la solidité et la permanence de ces doctrines en faisant appel à leur seule valeur d'explication objective. Il faut descendre plus au fond ; on touchera alors les valeurs inconscientes. Ce sont ces valeurs inconscientes qui font la *permanence* de certains principes d'explication. Par une douce torture, la Psychanalyse doit faire avouer au savant ses mobiles inavouables.

II

Le feu est peut-être le phénomène qui a le plus
préoccupé les chimistes. Longtemps, on a cru
que résoudre l'énigme du feu c'était résoudre
l'énigme centrale de l'Univers. Boerhaave qui
écrit vers 1720 dit encore [1] : « Si vous vous trom-
pez dans l'exposition de la Nature du Feu, votre
erreur se répandra dans toutes les branches
de la physique, et cela parce que dans toutes les
productions naturelles, le Feu... est toujours le
principal agent. » Un demi-siècle plus tard, Scheele
rappelle d'une part [1] : « Les difficultés sans nombre
que présentent les recherches sur le Feu. On est
effrayé en faisant réflexion aux siècles qui se sont
écoulés, sans qu'on soit parvenu à acquérir plus
de connaissances sur ses véritables propriétés. »
D'autre part : « Quelques personnes tombent
dans un défaut absolument contraire, en expli-
quant la nature et les phénomènes du Feu, avec
tant de facilité, qu'il semblerait que toutes les
difficultés sont levées. Mais que d'objections ne
peut-on leur faire ? Tantôt la chaleur est le Feu
élémentaire, bientôt elle est un effet du Feu :
là, la lumière est le feu le plus pur et un élément ;
là, elle est déjà répandue dans toute l'étendue du

---

1. Boerhaave, *Éléments de Chimie*, trad. 2 vol., Leide, 1752, t. I, p. 144.
1. Charles-Guillaume Scheele, *Traité chimique de l'air et du feu*,
trad., Paris, 1781.

globe, et l'impulsion du Feu élémentaire lui communique son mouvement direct ; ici, la lumière est un élément qu'on peut enchaîner au moyen de l'*acidum pingue*, et qui est délivré par la dilatation de cet acide supposé, etc. » Ce balancement, si bien indiqué par Scheele, est très symptomatique de la dialectique de l'ignorance qui va de l'obscurité à l'aveuglement et qui prend aisément les termes mêmes du problème pour sa solution. Comme le feu n'a pu révéler son mystère, on le prend comme une cause universelle : alors tout s'explique. Plus un esprit préscientifique est inculte, plus grand est le problème qu'il choisit. De ce grand problème, il fait un petit livre. Le livre de la marquise du Châtelet a 139 pages et il traite du Feu.

Dans les périodes préscientifiques, il est ainsi bien difficile de circonscrire un sujet d'étude. Pour le feu, plus que pour tout autre phénomène, les conceptions animistes et les conceptions substantialistes sont mêlées d'une manière inextricable. Alors que dans notre livre général nous avons pu analyser séparément ces conceptions, il nous faut les étudier ici dans leur confusion. Quand nous avons pu pousser l'analyse, c'est précisément grâce aux idées scientifiques qui, peu à peu, ont permis de distinguer les erreurs. Mais le feu n'a pas, comme l'a fait l'électricité, trouvé sa science. Il est resté dans l'esprit préscientifique comme un phénomène complexe qui relève à la fois de la chimie et de la biologie. Il nous faut donc garder au concept du feu l'aspect totalisateur qui correspond à l'ambiguïté des explications qui vont alternativement de la vie à la substance, en d'interminables réciproques, pour rendre compte des phénomènes du feu.

Le feu peut alors nous servir à illustrer les thèses que nous avons exposées dans notre livre sur *La Formation de l'esprit scientifique*. En particulier, par les idées naïves qu'on s'en forme, il donne un exemple de l'*obstacle substantialiste* et de l'*obstacle animiste* qui entravent l'un et l'autre la pensée scientifique.

Nous allons d'abord montrer des cas où les affirmations substantialistes se présentent sans la moindre preuve. Le Père L. Castel ne met pas en doute le *réalisme du feu* [1] : « Les noirs de la peinture sont pour la plupart des productions du feu, et le feu laisse toujours quelque chose de corrosif et de brûlant dans les corps qui ont reçu sa vive impression. Quelques-uns veulent que ce soient les parties ignées, et d'un vrai feu, qui restent dans les chaux, dans les cendres, dans les charbons, dans les fumées. » Rien ne légitime cette *permanence substantielle* du feu dans la matière colorante, mais on voit au travail la pensée substantialiste : ce qui a reçu le feu doit rester brûlant, donc corrosif.

Parfois l'affirmation substantialiste se présente dans une pureté tranquille, vraiment dégagée de toute preuve et même de toute image. Ainsi Ducarla écrit [1] : « Les molécules ignées... échauffent parce qu'elles sont ; elles sont parce

1. R.-P. Castel, *L'Optique des couleurs*, Paris, 1740, p. 34.
1. Ducarla, *loc. cit.*, p. 4.

qu'elles furent... cette action ne cesse de produire qu'à défaut de sujet. » Le caractère tautologique de l'attribution substantielle est ici particulièrement net. La plaisanterie de Molière sur la vertu dormitive de l'opium qui fait dormir n'empêche pas un auteur important, écrivant à la fin du xviiie siècle, de dire que la vertu calorifique de la chaleur a la propriété de réchauffer.

Pour beaucoup d'esprits, le feu a une telle *valeur* que rien ne limite son empire. Boerhaave prétend ne faire aucune supposition sur le feu, mais il commence par dire, sans la moindre hésitation, que « les éléments du Feu se rencontrent partout ; ils se trouvent dans l'or qui est le plus solide des corps connus, et dans le vide de Torricelli [2] ». Pour un chimiste comme pour un philosophe, pour un homme instruit comme pour un rêveur, le feu se substantifie si facilement qu'on l'attache aussi bien au vide qu'au plein. Sans doute, la physique moderne reconnaîtra que le vide est traversé des milles radiations de la chaleur rayonnante, mais elle ne fera pas de ces radiations une qualité de l'espace vide. Si une lumière se produit dans le vide d'un baromètre qu'on agite, l'esprit scientifique n'en conclura pas que le vide de Torricelli *contenait* du feu latent.

La substantialisation du feu concilie facilement les caractères contradictoires : le feu pourra être vif et rapide sous des formes dispersées ; profond et durable sous des formes concentrées. Il suffira

2. Boerhaave, *loc. cit.*, t. I, p. 145.

d'invoquer la *concentration substantielle* pour rendre compte ainsi des aspects les plus divers. Pour Carra, auteur souvent cité à la fin du xviiie siècle [1] : « Dans la paille et le papier, le phlogistique intégrant est très rare, tandis qu'il abonde dans le charbon de terre. Les deux premières substances néanmoins flambent au premier abord du feu, tandis que la dernière tarde longtemps avant de brûler. On ne peut expliquer cette différence d'effets, qu'en reconnaissant que le phlogistique intégrant de la paille et du papier, quoique plus rare que celui du charbon de terre, y est moins concentré, plus disséminé, et par conséquent plus susceptible d'un prompt développement. » Ainsi une expérience insignifiante comme celle d'un papier rapidement enflammé est expliquée en intensité, par un degré de la concentration substantielle du phlogistique. Nous devons souligner ici ce besoin d'expliquer les *détails* d'une expérience première. Ce besoin d'explication minutieuse est très symptomatique chez les esprits non scientifiques qui prétendent ne rien négliger et rendre compte de tous les aspects de l'expérience concrète. La *vivacité* d'un feu propose ainsi de faux problèmes : elle a tant frappé notre imagination dans notre enfance ! Le feu de paille reste, pour l'inconscient, un feu caractéristique.

De même chez Marat, esprit préscientifique sans vigueur, la liaison de l'expérience première

---

1. Carra, *Dissertation élémentaire sur la nature de la lumière, de la chaleur, du feu et de l'électricité*, Londres, 1787, p. 50.

avec l'intuition substantialiste est aussi directe.
Dans une brochure qui n'est qu'un précis de ses
Recherches physiques sur le Feu, il s'exprime
ainsi [1] : « Pourquoi le fluide igné s'attache-t-il
aux seules matières inflammables ? En vertu
d'une affinité particulière entre ses globules et le
phlogistique dont ces matières sont saturées.
Cette attraction est bien marquée. Lorsqu'en
poussant de l'air avec un chalumeau, on essaie
de détacher du combustible la flamme qui le
dévore, on s'aperçoit qu'elle ne cède pas sans
résistance, et qu'elle regagne bientôt l'espace
abandonné. » Marat aurait pu ajouter, pour
achever l'image animiste qui domine son inconscient : « Ainsi des chiens retournent à la proie
dont on les avait chassés. »

Cette expérience toute familière donne bien
une mesure de la ténacité du feu quand il tient à
son aliment. Il suffit d'éteindre d'un peu loin
une bougie récalcitrante ou de souffler sur un
punch encore vivace pour avoir une mesure subjective de la *résistance* du feu. C'est une résistance moins brutale que les résistances des objets
inertes pour le toucher. Elle n'en a que plus d'effet
pour déterminer l'enfant à adopter une théorie
animiste du feu. En toute circonstance le feu
montre sa mauvaise volonté : il est difficile à
allumer ; il est difficile à éteindre. La substance
est caprice ; donc le feu est une personne.

Bien entendu cette vivacité et cette ténacité du

---

1. Marat, *Découvertes sur le feu, l'électricité et la lumière, constatées par une suite d'expériences nouvelles,* Paris, 1779, p. 28.

feu sont des caractères secondaires entièrement
réduits et expliqués par la connaissance scientifique. Une saine abstraction a conduit à les négliger. L'abstraction scientifique est la guérison
de l'inconscient. A la base de la culture, elle écarte
les objections dispersées sur tous les détails de
l'expérience.

III

Mais c'est peut-être l'idée que le feu *s'alimente*
comme un être vivant qui tient le plus de place
dans les opinions que s'en forme notre inconscient.
Chez un esprit moderne, alimenter un feu est
devenu un plat synonyme de l'entretenir ; mais les
mots nous dominent plus que nous ne pensons,
et la vieille image revient parfois à l'esprit quand
le vieux mot revient aux lèvres.

Il n'est pas difficile d'accumuler des textes où
l'*aliment* du feu garde son sens fort. Un auteur du
xvie siècle rappelle que [1] « les Égyptiens le disaient
être un animal ravissant et insatiable ; qui dévorait
tout ce qui prend naissance et accroissement ;
et enfin soi-même, après qu'il s'en est bien « peû »
et gorgé, quand il n'a plus de quoi se repaître et
nourrir ; parce que ayant chaleur et mouvement,
il ne se peut passer de nourriture et d'air pour y
respirer ». Vigenère développe tout son livre en

---

1. Blaise de Vigenère, *Traité du feu et du sel*. Paris, 1622, p. 60.

suivant cette inspiration. Il retrouve dans la chimie du feu tous les caractères de la digestion. Ainsi, pour lui, comme pour beaucoup d'autres auteurs, la fumée est un excrément du feu. Un auteur, vers la même époque, dit encore que [1] « les Perses, lorsqu'ils sacrifiaient au feu lui présentaient à manger sur l'autel, usant de cette formule... Mange et banquête Feu seigneur de tout le monde ».

Encore au XVIIIe siècle, Boerhaave « trouve nécessaire de préciser par une longue étude ce qu'il faut entendre par *aliments du feu*... Si on les appelle ainsi dans un sens resserré, c'est parce qu'on croit que (ces substances) servent réellement de nourriture au Feu, que par son action elles sont converties en propre substance du Feu élémentaire, et qu'elles se dépouillent de leur nature propre et primitive pour revêtir celle du Feu ; alors on suppose un fait qui mérite d'être examiné mûrement [2]. » C'est ce que fait Boerhaave en de nombreuses pages où il résiste d'ailleurs bien mal à l'intuition animiste qu'il veut réduire. On ne résiste jamais complètement à un préjugé qu'on perd beaucoup de temps à attaquer. De toute manière, Boerhaave ne se sauve du préjugé animiste qu'en renforçant le préjugé substantialiste : dans sa doctrine, l'*aliment* du feu se transforme en la *substance* du feu. Par assimilation, l'aliment devient feu. Cette assimilation substantielle est la négation de l'esprit de la Chimie. La Chimie peut étudier comment les substances se combinent, se mêlent

---

1. Jourdain Guibelet, *Trois Discours philosophiques*, Evreux, 1603, p. 22.
2. Boerhaave, *loc. cit.*, t. I, p. 303.

ou se juxtaposent. Ce sont là trois conceptions qu'on peut défendre. Mais la Chimie ne saurait étudier comment une substance en *assimile* une autre. Quand elle accepte ce concept d'*assimilation*, forme plus ou moins savante du concept de *nourriture*, elle éclaire l'obscur par le plus obscur ; ou plutôt elle impose à l'explication objective les fausses clartés de l'expérience intime de la digestion.

On va voir jusqu'où vont les valorisations inconscientes de l'*aliment du feu* et combien il est désirable de psychanalyser ce qu'on pourrait appeler le *complexe de Pantagruel* chez un inconscient préscientifique. C'est en effet un principe préscientifique que tout ce qui brûle doit recevoir le *pabulum ignis*. Aussi, rien de plus commun, dans les cosmologies du Moyen Age et de l'époque préscientifique que la notion de nourriture pour les astres. En particulier, c'est souvent la fonction des exhalaisons terrestres que de servir de nourriture aux astres. Les exhalaisons nourrissent les comètes. Les comètes nourrissent le soleil. Ne donnons que quelques textes, choisis dans des époques récentes pour bien montrer la permanence et la force du mythe de la digestion dans l'explication des phénomènes matériels. Ainsi Robinet écrit en 1766 [1] : « L'on a dit avec assez de vraisemblance que les globes lumineux se repaissent des exhalaisons qu'ils tirent des globes opaques, et que l'aliment naturel de ceux-ci est ce flux de parties ignées que les premiers leur envoient

1. Robinet, *loc. cit.*, t. I, p. 44.

continuellement ; et que les taches du Soleil, qui
semblent s'étendre et s'obscurcir tout les jours ne
sont qu'un amas de vapeurs grossières qu'il attire,
dont le volume croît ; que ces fumées que nous
croyons voir s'élever à sa surface, s'y précipitent
au contraire ; qu'à la fin il absorbera une si grande
quantité de matière hétérogène, qu'il n'en sera
pas seulement enveloppé et incrusté, comme
Descartes le prétendait, mais totalement pénétré.
Alors il s'éteindra, il mourra, pour ainsi dire, en
passant de l'état de lumière qui est sa vie, à celui
d'opacité qu'on peut appeler une mort véritable
à son égard. Ainsi la sangsue meurt en s'abreuvant
de sang. » On le voit, l'intuition digestive est
maîtresse : pour Robinet, le Soleil Roi mourra
d'un excès de table.

Ce principe de la nourriture des astres par le feu
est d'ailleurs très clair quand on accepte l'idée,
fort commune encore au xviiie siècle, que « tous
les astres sont créés d'une seule et même substance
céleste du feu subtil[1] ». On pose une analogie
fondamentale entre les étoiles formées de feu subtil
et céleste et les soufres métalliques formés de feu
grossier et terrestre. On croit avoir uni ainsi les
phénomènes de la terre et les phénomènes du ciel
et obtenu une vue universelle sur le monde.

Ainsi les idées anciennes traversent les âges ;
elles reviennent toujours dans les rêveries plus ou
moins savantes avec leur charge de naïveté première. Par exemple, un auteur du xviie siècle unit

---

1. Joachim Poleman, *Nouvelle Lumière de Médecine du mystère du
soufre des philosophes*, trad. du latin, Rouen, 1721, p. 145.

facilement les opinions de l'Antiquité et les opinions de son temps [1] : « A raison que de jour les astres attirent les vapeurs pour en prendre la nuit leur réfection, la nuit a été nommée par Euripide la nourrice des astres dorés. » Sans le mythe de la digestion, sans ce rythme tout stomacal du Grand Être qu'est l'Univers qui dort et mange en accordant son régime sur le jour et la nuit, bien des intuitions préscientifiques ou poétiques seraient inexplicables.

IV

Il est particulièrement intéressant, pour une psychanalyse de la connaissance objective, de voir comment une intuition chargée d'affectivité comme l'intuition du feu va s'offrir pour l'explication de phénomènes nouveaux. Ce fut le cas au moment où la pensée préscientifique chercha à expliquer les phénomènes électriques.

La preuve que le fluide électrique n'est autre que le feu n'est pas difficile dès qu'on se contente de suivre la séduction de l'intuition substantialiste. Ainsi l'abbé de Mangin est bien vite convaincu [2] : « D'abord, c'est dans tous les corps bitumineux et sulfureux tels que le verre et les poix, que se rencontre la matière électrique, comme le tonnerre

---

1. Guibelet, *loc. cit.*, p. 22.
2. Abbé de Mangin, *Question nouvelle et intéressante sur l'électricité*, 1749, pp. 17, 23, 26.

tire la sienne des bitumes et des soufres attirés par l'action du soleil. » Ensuite, il n'en faut pas beaucoup plus pour prouver que le verre contient du feu et pour le ranger dans la catégorie des soufres et des poix. Ainsi pour l'abbé de Mangin « l'odeur de soufre que (le verre) répand lorsqu'étant frotté il vient à se rompre (est la preuve convaincante) que les bitumes et les huiles dominent en lui ». Faut-il aussi rappeler la vieille étymologie, toujours active dans l'esprit préscientifique, qui voulait que le vitriol corrosif fût de l'*huile de vitre ?*

L'intuition d'intériorité, d'intimité, si fortement liée avec l'intuition substantialiste apparaît ici dans une ingénuité d'autant plus frappante qu'elle prétend expliquer des phénomènes scientifiques bien déterminés. « Ce sont surtout les huiles, les bitumes, les gommes, les résines, dans lesquelles Dieu a enfermé le feu, comme dans autant d'étuis capables de le brider. » Une fois qu'on s'est soumis à la métaphore d'une propriété substantielle enfermée dans un *étui*, le style va se charger d'images. Si le feu électrique « pouvait s'insinuer dans les loges des petites pelotes de feu, dont est rempli le tissu des corps par eux-mêmes électriques ; s'il pouvait délier cette multitude de petites bourses qui ont la force de retenir ce feu caché, secret et interne, et s'unir ensemble ; alors ces parcelles de feu dégagées, secouées, foulées, débandées, associées, violemment agitées, communiqueraient au feu électrique, une action, une force, une vitesse, une accélération, une furie, qui désunirait, briserait, embraserait, détruirait le composé ». Mais comme cela est impossible, les corps comme la résine, électriques par eux-mêmes, doivent garder le feu enfermé dans leurs petits étuis, ils ne peuvent recevoir l'électricité par communication. Voilà donc, très imagée, toute chargée de verbalité, l'*explication prolixe* du caractère des corps mauvais conducteurs. D'ailleurs cette explication qui revient à nier un caractère est très curieuse. On ne voit pas bien la nécessité de la conclusion. Il semble que cette conclusion vienne simplement interrompre une rêverie qui se développait si facilement quand il suffisait d'accumuler des synonymes.

Lorsqu'on eut reconnu que les étincelles électriques sortant du corps humain électrisé enflammaient l'eau-de-vie, ce fut un véritable émerveillement. Le feu électrique était donc un vrai feu! Winckler souligne « un événement aussi extraordinaire ». C'est qu'en effet, on ne voit pas comment un tel « feu », brillant, chaud, enflammant, peut être contenu, sans la moindre incommodité, dans le corps humain! Un esprit aussi précis, aussi méticuleux que Winckler ne met pas en doute le postulat substantialiste et c'est de cette absence de critique philosophique que va naître le faux problème [1] : « Un fluide ne peut rien allumer, à moins qu'il ne contienne des particules de feu. » Puisque le feu *sort* du corps humain, c'est qu'il était auparavant *contenu* dans le corps humain. Faut-il noter avec quelle facilité cette inférence est acceptée par un esprit préscientifique qui suit, sans s'en douter, les séductions que nous avons

---

1. Winckler, *Essai sur la nature, les effets et les causes de l'électricité*, trad., Paris, 1748, p. 139.

dénoncées dans les chapitres précédents ? Le seul mystère, c'est que le feu enflamme l'alcool à l'extérieur, alors qu'il n'enflamme pas les tissus à l'intérieur. Cette inconséquence de l'intuition réaliste ne conduit tout de même pas à réduire la *réalité du feu*. Le réalisme du feu est parmi les plus indestructibles.

V

La *réalisation* de la chaleur et du feu est aussi très frappante quand elle s'opère à propos des substances particulières comme les substances végétales. La séduction réaliste peut entraîner à des croyances et à des pratiques bizarres. Voici un exemple entre mille pris dans Bacon (Sylva Sylvarum § 456) : « Si nous devons en croire certaines relations, en faisant plusieurs trous au tronc d'un mûrier et y insérant des *coins* faits avec le bois de quelque arbre de *nature chaude*, tels que le térébinthe, la lentisque, le gayac, le genévrier, etc., on aura d'excellentes mûres, et l'arbre sera d'un grand rapport ; effet qu'on peut attribuer à cette chaleur de surcroît qui fomente, anime et renforce la sève et la chaleur native de l'arbre. » Cette croyance dans l'efficacité des substances *chaudes* est vivace chez certains esprits ; mais le plus souvent, elle décline, passe peu à peu à l'état de métaphore ou de symbole. C'est ainsi qu'on a dévalorisé les couronnes de laurier : elles sont maintenant en papier vert. Les voici dans leur pleine valeur [1] : « Les branches de cet arbre que l'Antiquité a dédié au Soleil pour couronner tous les conquérants de la Terre, choquées ensemble font du feu, comme les os de lion. » La conclusion réaliste n'est d'ailleurs pas loin : « Le laurier guérit les ulcères de la tête, et efface les taches du visage. » Sous la couronne, comme un front est radieux ! A notre époque où toutes les valeurs sont des métaphores, les couronnes de laurier ne guérissent plus que les orgueils ulcérés.

Nous sommes portés à excuser toutes ces croyances naïves parce que nous ne les prenons plus que dans leur traduction métaphorique. Nous oublions qu'elles ont correspondu à des réalités psychologiques. Or souvent les métaphores ne sont pas entièrement *déréalisées, déconcrétisées*. Il traîne encore un peu de concret dans certaines définitions sainement abstraites. Une psychanalyse de la connaissance objective doit revivre et achever la *déréalisation*. Ce qui donne précisément une mesure des erreurs sur le feu, c'est qu'elles sont encore, plus peut-être que toute autre, attachées à des affirmations concrètes, à des expériences intimes non discutées.

Des caractères très spéciaux, qui devraient être étudiés spécialement, sont ainsi expliqués par une simple référence à un feu intérieur. Tel est le cas pour « la vigueur extraordinaire que nous observons dans certaines plantes... qui renferment en elles une quantité beaucoup plus considérable de ce feu que certaines autres quoique de la même classe. Ainsi la plante sensitive demande plus de

1. Jean-Baptiste Fayol, *L'Harmonie céleste*, Paris, 1672, p. 320.

ce feu que toute autre plante ou chose naturelle, et je conçois alors, que, lorsque quelqu'autre corps la touche, elle doit lui communiquer une grande partie de son feu, qui est sa vie, elle tombe malade et elle abaisse ses feuilles et branches, jusqu'à ce qu'elle ait eu le temps de recouvrer sa vigueur en retirant du nouveau feu de l'air qui l'environne ». Ce feu intime que la sensitive donne jusqu'à épuisement a pour un psychanalyste un autre nom. Il ne relève pas d'une connaissance *objective*. On ne voit rien qui puisse légitimer *objectivement* la comparaison d'une sensitive sans réaction et d'une sensitive épuisée de son *feu*. Une psychanalyse de la connaissance objective doit pourchasser toutes les convictions scientifiques qui ne se forment pas dans l'expérience spécifiquement objective.

On répète, dans tous les domaines et sans l'ombre d'une preuve, que le feu est le principe de la vie. Une telle déclaration est si ancienne qu'elle va de soi. Il semble qu'elle soit convaincante *en général* sous la seule réserve de ne l'appliquer à *aucun cas particulier*. Plus cette application est précise, plus elle est ridicule. Ainsi un accoucheur, après un long traité sur l'accroissement de l'embryon et sur l'utilité des eaux de l'amnios, en vient à professer que l'eau, ce liquide voiturier de toute nourriture pour les trois règnes, doit être animée par le feu. On pourra voir à la fin de son traité un exemple puéril de la dialectique naturelle de l'eau et du feu [1] : « La végétation est

---

1. David, *loc. cit.*, pp. 290, 292.

l'ouvrage de l'espèce d'avidité avec laquelle (le feu) cherche à se combiner avec l'eau qui est véritablement son modérateur. » Cette intuition substantialiste du feu qui vient *animer* l'eau est si séduisante qu'elle pousse notre auteur « à approfondir » une théorie scientifique trop simplement et trop clairement fondée sur le principe d'Archimède : « N'abandonnera-t-on jamais l'opinion absurde que l'eau réduite en vapeur, monte dans l'atmosphère, parce qu'elle est dans ce nouvel état plus légère qu'un pareil volume d'air ? » Pour David, le principe d'Archimède relève d'une bien pauvre mécanique ; au contraire, il est évident que c'est le feu, fluide animateur, « jamais oisif », qui entraîne et élève l'eau. « Le feu est peut-être ce principe actif, cette cause seconde qui a reçu toute son énergie du Créateur, que l'Écriture a désignée par ces mots : *et spiritus Dei ferebatur super aquas* ». Telle est l'envolée qui emporte un accoucheur méditant sur les eaux de l'amnios.

VI

En tant que *substance* le feu est certainement parmi les plus valorisées, celle par conséquent qui déforme le plus les jugements objectifs. A bien des égards, sa valorisation atteint celle de l'or. En dehors de ses valeurs de germination pour la mutation des métaux et de ses valeurs de guérison dans la pharmacopée préscientifique, l'or n'a que

sa valeur commerciale. Souvent même, l'alchimiste attribue une valeur à l'or parce qu'il est un
réceptacle du feu élémentaire : « La quintessence
de l'or est tout feu. » D'ailleurs d'une manière
générale, le feu, véritable protée de la valorisation, passe des valeurs principielles les plus métaphysiques aux utilités les plus manifestes. C'est
vraiment le principe actif fondamental qui résume
toutes les actions de la nature. Un alchimiste
du xviiie siècle a écrit [1] : « Le feu... est la nature qui
ne fait rien en vain, qui ne saurait errer, et sans
qui rien ne se fait. » Notons au passage qu'un romantique ne parlerait pas autrement de la passion. La moindre participation suffit ; le feu n'a
qu'à mettre le sceau de sa présence pour montrer
son pouvoir : « Le feu est toujours le moindre en
quantité, comme le premier en qualité. » Cette
action des quantités infimes est très symptomatique. Quand elle est pensée sans preuves objectives, comme c'est le cas ici, c'est que la quantité
infime considérée est magnifiée par la volonté
de puissance. On voudrait pouvoir concentrer
l'action chimique sur une poudre de projection, la
haine dans un poison foudroyant, un amour immense et indicible dans un humble cadeau. Le feu
a des actions de cette espèce dans l'inconscient d'un
esprit préscientifique : un atome de feu dans certains
rêves cosmologiques suffit pour embraser un monde.

Un auteur qui critique les images faciles et qui
déclare [2] : « Nous ne sommes plus dans ce siècle

1. *Lettre philosophique* en suite du *Cosmopolite*, Paris. 1723, pp. 9, 12.
2. Reynier, *Du Feu et de quelques-uns de ses principaux effets*, Lausanne, 1787, pp. 29, 34.

où l'on expliquait la causticité et l'action de quelques dissolvants par la ténuité et la forme de leurs molécules, qu'on supposait être des coins aigus, qui pénétraient les corps et séparaient leurs parties », écrit quelques pages plus loin : le feu « est l'élément qui anime tout, à qui tout doit d'être ; qui, principe de vie et de mort, d'existence et de néant, agit par lui-même, et porte en lui la force d'agir ». Il semble donc que l'esprit critique s'arrête devant la puissance intime du feu et que l'explication par le feu aille à de telles profondeurs qu'elle puisse décider de l'existence et du néant des choses et du même coup dévaloriser toutes les pauvres explications mécanistes. Toujours et dans tous les domaines, l'explication par le feu est une explication *riche*. Une psychanalyse de la connaissance objective doit sans cesse dénoncer cette prétention à la profondeur et à la richesse intimes. On a certes le droit de critiquer l'ingénuité de l'atomisme figuré. Encore faut-il reconnaître qu'il s'offre à une discussion *objective*, tandis que le recours à la puissance d'un feu *non sensible*, comme c'est le cas pour la causticité de certaines dissolutions va à l'encontre de toute possibilité de vérification objective.

L'équation du feu et de la vie forme la base du système de Paracelse. Pour Paracelse, le feu c'est la vie et ce qui recèle du feu a vraiment le germe de la vie. Le mercure commun est précieux aux yeux des Paracelsistes parce qu'il contient un feu très parfait et une vie céleste et cachée ainsi que l'expose encore Boerhaave [1]. C'est ce feu caché

1. Boerhaave, *loc. cit.*, t. II, p. 876.

qu'il faut mettre en œuvre pour guérir et engendrer. Nicolas de Locques appuie toute sa valorisation du feu sur l'intimité du feu [1]. Le feu est « interne ou externe, l'externe est mécanique, corrompant et détruisant, l'interne est spermatique, engendrant, maturant ». Pour avoir l'essence du feu, il faut aller à sa source, dans sa réserve où il s'économise et se concentre, c'est-à-dire dans le minéral. Voici alors la meilleure justification de la méthode des spagiristes : « Ce feu céleste qui fait la vie est très actif en l'animal, il s'en fait une plus grande dissipation qu'en la plante et au métal ; c'est pourquoi le philosophe est continuellement occupé à rechercher les moyens de le refournir, et voyant qu'il ne pouvait être entretenu longtemps par le feu de la vie qui est dans l'animal et les plantes, il l'a voulu chercher dans le métal où ce feu est plus fixe et incombustible, plus recueilli et tempéré en son action, laissant les herbes aux Galénistes pour faire des salades où ce bénit feu n'est que comme une étincelle. »

En résumé, on croit si fort à l'empire universel du feu qu'on arrive à cette rapide conclusion dialectique : puisque le feu se *dépense* dans l'animal, c'est qu'il s'*économise* dans le minéral. Là il est caché, intime, substantiel, donc tout-puissant. De même, un amour taciturne passe pour un amour fidèle.

---

1. Nicolas de Locques, *Les Rudiments de la philosophie naturelle touchant le système du corps mixte*, Paris, 1665, pp. 36, 47.

VII

Une telle force de conviction pour affirmer les
puissances cachées ne peut venir de la seule expérience externe du bien-être qu'on éprouve devant
un clair foyer. Il faut que s'y ajoutent les grandes
certitudes tout intimes de la digestion, la douceur
réconfortante de la soupe chaude, la saine brûlure
du cordial alcoolique. Tant qu'on n'aura pas psy-
chanalysé l'homme repu, on manquera des éléments affectifs primordiaux pour comprendre la
psychologie de l'évidence réaliste. Nous avons
développé ailleurs tout ce que la chimie réaliste
doit au mythe de la digestion. En ce qui concerne
la sensation de chaleur stomacale et les inférences
faussement objectives qu'on y rattache, on pourrait accumuler des citations sans fin. Cette sensation est souvent le principe sensible de la santé
et de la maladie. Pour ce qui regarde les sensations
de légères douleurs, les livres des praticiens sont
particulièrement attentifs aux « chaleurs », aux
« phlogoses », aux dessèchements qui brûlent l'estomac. Chaque auteur se croit obligé d'expliquer
ces chaleurs en fonction de son système, car sans
une explication de tout ce qui touche le principe
fondamental de la chaleur vitale, le système per-
drait toute sa valeur. Ainsi Hecquet explique le
feu de la digestion en accord avec sa théorie de la
trituration stomacale, en rappelant qu'une roue

peut s'enflammer par le frottement. C'est donc le broyage des aliments par l'estomac qui produit la chaleur nécessaire « à leur cuisson ». Hecquet est un savant ; il ne va pas jusqu'à croire certains anatomistes qui ont « vu sortir du feu des estomacs des oiseaux » [1]. Néanmoins, il cite cette opinion en bonne place, montrant ainsi que l'image de l'homme qui vomit des flammes en dansant est un image favorite de l'inconscient. La théorie des *intempéries de l'estomac* pourrait donner lieu à des remarques sans fin. On pourrait chercher l'origine de toutes les métaphores qui ont conduit à la classification des aliments d'après leur *chaleur*, leur *froid*, leur *chaleur sèche*, leur *chaleur humide*, leur *vertu rafraîchissante*. On prouverait facilement que l'étude scientifique des valeurs alimentaires est troublée par des préjugés formés dans des impressions premières, fugitives et insignifiantes.

Ainsi nous n'hésitons pas à invoquer une origine cénesthésique pour certaines intuitions philosophiques fondamentales. En particulier, nous croyons que cette chaleur intime, enveloppée, préservée, possédée qu'est une heureuse digestion, conduit inconsciemment à postuler l'existence d'un feu caché et invisible dans l'intérieur de la matière ou, comme disaient les alchimistes, dans le ventre du métal. La théorie de ce feu immanent à la matière détermine un matérialisme spécial pour lequel il faudrait créer un mot, car il représente une nuance philosophique importante, inter-

---

1. Hecquet, *De la digestion et des maladies de l'estomac*, Paris, 1712, p. 263.

médiaire entre le matérialisme et l'aninisme. Ce
calorisme correspond à la matérialisation d'une
âme ou à l'animation de la matière, il est une forme
de passage entre matière et vie. Il est la sourde
conscience de l'assimilation matérielle de la digestion, de l'animalisation de l'inanimé.

Si l'on veut bien se référer à ce mythe de la
digestion, combien l'on sent mieux le sens et la
force de cette parole du *Cosmopolite* qui fait dire
au mercure [1] : « Je suis feu en mon intérieur, le
feu me sert de viande, et il est ma vie. » Un autre
alchimiste dit d'une manière moins imagée mais
qui revient au même : « Le feu est un élément qui
agit au centre de chaque chose [2]. » Avec quelle
facilité on accorde un sens à une telle expression !
Au fond, dire qu'une substance a un intérieur, un
centre, n'est guère moins métaphorique que de dire
qu'elle a un ventre. Parler d'une qualité et d'une
tendance revient alors à parler d'un appétit.
Ajouter, comme le fait l'alchimiste, que cet intérieur est un foyer où couve le feu-principe indes-
tructible ne fait qu'établir des convergences métaphoriques centrées sur les certitudes de la digestion.
Il faudra de grands efforts d'objectivité pour *détacher* la chaleur des substances où elle se manifeste,
pour en faire une qualité toute transitive, une énergie qui, en aucun cas, ne peut être latente et cachée.

Non seulement l'intériorisation du feu exalte
ses vertus, elle prépare encore les plus formelles
contradictions. C'est, d'après nous, la preuve qu'il

---

1. *Cosmopolite, loc. cit.*, p. 113.
2. *Lettre philosophique* en suite du *Cosmopolite, loc. cit.*, p. 18.

s'agit, non pas de propriétés *objectives* mais bien
de valeurs psychologiques. L'homme est peut-
être le premier objet naturel où la nature essaie
de se contredire. C'est d'ailleurs la raison pour
laquelle l'activité humaine est en train de changer
la face de la planète. Mais, dans cette petite mono-
graphie, ne considérons que les contradictions et
les mensonges du feu. Grâce à l'intériorisation,
on en vient à parler d'un *feu incombustible*. Après
avoir longuement travaillé son soufre, Joachim
Poleman écrit [1] : « Comme ce soufre était naturellement un feu brûlant et une lumière resplendis-
sante à l'extérieur, il n'est plus maintenant externe,
mais interne et incombustible, il n'est plus un feu
brûlant extérieurement, mais intérieurement, et
comme auparavant il brûlait tout ce qui est
combustible, de même présentement il brûle par sa
puissance les maladies invisibles, et comme les
soufres avant leur cuisson luisaient extérieurement, ils ne luisent plus maintenant qu'aux maladies ou esprits de ténèbres, qui ne sont autre chose
que des esprits ou propriétés du ténébreux lit de
la mort... et le feu transmue ces esprits de ténèbres
en bons esprits, tels qu'ils étaient quand l'homme
était en santé. » Quand on lit des pages comme celle-
là, il faut se demander de quel côté elles sont claires,
de quel côté elles sont obscures. Or la page de
Poleman est assurément obscure du côté objectif :
un esprit scientifique au courant de la chimie et
de la médecine éprouvera de la peine à mettre un
nom sur les expériences évoquées. Au contraire,

1. Poleman, *loc. cit.*, p. 167.

du côté subjectif, quand on a fait effort pour acquérir un matériel psychanalytique approprié, quand
on a, en particulier, isolé les complexes du sentiment de l'avoir et des impressions du feu intime,
la page s'éclaircit. C'est donc la preuve qu'elle a
une cohérence subjective et non pas une cohésion
objective. Cette détermination de l'axe d'éclair-
cissement, soit subjectif, soit objectif, nous paraît
le premier diagnostic d'une psychanalyse de la
connaissance. Si, dans une connaissance, la somme
des convictions personnelles dépasse la somme des
connaissances qu'on peut expliciter, enseigner,
prouver, une psychanalyse est indispensable. La
psychologie du savant doit tendre à une psychologie clairement normative ; le savant doit se
refuser à *personnaliser sa connaissance* ; corrélative-
ment, il doit s'efforcer de *socialiser ses convictions*.

VIII

La meilleure preuve que les impressions physio-
logiques de la chaleur ont été réifiées dans la
connaissance préscientifique, c'est que la chaleur
intime a fourni des références pour déterminer
des *espèces de chaleur* qu'aucun expérimentateur
moderne ne tenterait de distinguer. En d'autres
termes, le corps humain suggère des *points de feu*
que les Artistes alchimiques s'efforcent de réaliser.
« Les philosophes, dit l'un d'entre eux [1], distin-
guent (la chaleur) suivant la différence de la cha-

1. Nicolas de Locques, *loc. cit.*, t. I, p. 52.

leur de l'animal, et en font trois ou quatre espèces,
une chaleur digérante semblable à celle de l'estomac, une générante comme celle de l'utérus, une
coagulante semblable à celle que fait le sperme,
et une lactifiante comme celle des mamelles...
La (chaleur) stomacale est putrédinale digérante
en l'estomac, digestive générante en la matrice, ins-
pissative cuisante aux reins, au foie, aux mamelles et
le reste. » Ainsi la sensation de chaleur intime, avec
ses mille nuances subjectives, est traduite directement dans une *science d'adjectifs*, comme c'est
toujours le cas pour une science embarrassée
par les obstacles substantialiste et animiste.

La référence au corps humain s'impose encore
longtemps, même quand l'esprit scientifique est
déjà assez développé. Lorsqu'on a voulu faire les
premiers thermomètres, un des points fixes auxquels on a pensé pour les graduer a été tout
d'abord la température du corps humain. On voit du
reste le renversement objectif opéré par la médecine
contemporaine qui détermine la température du
corps par comparaison avec des phénomènes physiques. La connaissance vulgaire, même dans des es-
sais assez précis, opère dans la perspective inverse.

IX

Mais « cette bénigne chaleur, qui fomente notre
vie » comme dit un médecin à la fin du XVIIIe siècle,
est encore plus symptomatique quand on la consi-

dère, dans sa confusion ou dans sa synthèse, sans aucune localisation, comme la réalisation globale de la vie. La vie sourde n'est que chaleur confuse. C'est ce feu vital qui forme la base de la notion de feu caché, de feu invisible, de feu sans flamme.

Alors s'ouvre la carrière infinie des rêveries savantes. Puisqu'on a détaché du principe igné la qualité évidente, puisque le feu n'est plus la flamme jaune, le charbon rouge ; puisqu'il est devenu invisible, il peut recevoir les propriétés les plus variées, les qualificatifs les plus divers. Prenez l'*eau-forte*, elle consume le bronze et le fer. Son feu caché, son feu sans chaleur brûle le métal sans laisser de trace, comme un crime bien fait. Aussi cette action *simple mais cachée*, lourde de rêveries inconscientes, va se couvrir d'adjectifs, suivant la règle de l'inconscient : moins on connaît et plus on nomme. Pour qualifier le feu de l'eau-forte, Trévisan [1] dit que ce feu caché est « subtil, vaporeux, digérant, continuel, environnant, aérien, clair et pur, enfermé, non coulant, altérant, pénétrant et vif ». De toute évidence, ces adjectifs ne qualifient pas un objet, ils exposent un sentiment, vraisemblablement un besoin de détruire.

La brûlure par un liquide émerveille tous les esprits. Que de fois j'ai vu mes élèves étonnés devant la calcination d'un bouchon par l'acide sulfurique. Malgré les recommandations — ou, psychanalytiquement parlant, à cause des recommandations — les blouses des jeunes manipulants souffrent particulièrement des acides. Par

1. Crosset de La Heaumerie, *Les secrets les plus cachés de la philosophie des anciens*, Paris, 1722, p. 299.

la pensée, on multiplie la puissance de l'acide. Psychanalytiquement la volonté de détruire coefficiente une propriété destructive reconnue à l'acide. En fait, *penser à une puissance, c'est déjà, non seulement s'en servir, c'est surtout en abuser.* Sans cette volonté d'abuser, la conscience de la puissance ne serait pas claire. Un auteur italien anonyme, à la fin du xviie siècle, admire ce pouvoir intime d'échauffer qu'on trouve « dans les eaux-fortes et dans de semblables esprits qui ne brûlent pas moins en hiver que le feu fait en tout temps et qui font de tels effets qu'on les croirait capables de détruire toute la Nature, et la réduire à rien »... De ce nihilisme très particulier d'un vieil auteur italien, il est peut-être curieux de rapprocher cette nouvelle et les commentaires que nous apportent les journaux (Rome, 4 mars 1937). M. Gabriele d'Annunzio communique un message qui se termine par les phrases sibyllines que voici : « Je suis désormais vieux et malade et c'est pourquoi je hâte ma fin. Il m'est interdit de mourir en prenant d'assaut Raguse. Dédaignant mourir entre deux draps, je tente ma dernière invention. » Et le journal explique en quoi consiste cette invention. « Le poète a décidé, lorsqu'il sentira venir l'heure du trépas, de se plonger dans un bain qui provoquera immédiatement la mort et détruira aussitôt les tissus de son corps. C'est le poète lui-même qui a découvert la formule de ce liquide. » Ainsi travaille notre rêverie, savante et philosophique, elle accentue toutes les forces, elle cherche l'absolu dans la vie comme dans la mort. Puisqu'il faut disparaître, puisque l'instinct de la mort s'impose un jour à la vie la plus exubérante, disparaissons et mourons tout entiers. Détruisons le feu de notre vie par un surfeu, par un surfeu surhumain, sans flamme ni cendre, qui portera le néant au cœur même de l'être. Quand le feu se dévore lui-même, quand la puissance se retourne contre soi, il semble que l'être se totalise sur l'instant de sa perte et que l'intensité de la destruction soit la preuve suprême, la preuve la plus claire de l'existence. Cette contradiction, à la racine même de l'intuition de l'être, favorise les transformations de valeurs sans fin.

x

Quand la pensée préscientifique a trouvé un concept comme celui de feu latent, où le caractère expérimental dominant vient d'être effacé, elle prend une singulière facilité : il semble que désormais, elle ait droit de se contredire clairement, scientifiquement. La contradiction, qui est la loi de l'inconscient, filtre dans la connaissance préscientifique. Prenons tout de suite cette contradiction sous une forme crue et chez un auteur qui fait profession d'esprit critique. Pour Reynier, comme pour Mme du Châtelet, le feu est le principe de la dilatation. C'est par la dilatation qu'on en a une mesure objective. Mais cela n'empêche pas Reynier de supposer que le feu est la puis-

sance qui *contracte,* qui *resserre.* C'est au feu,
dit-il [1], que tous les corps « doivent la cohésion
de leurs principes ; sans lui, ils seraient incohé-
rents » car « dès que le feu entre dans une combi-
naison, il se contracte dans un espace infiniment
plus petit que celui qu'il occupait ». Ainsi le feu
est aussi bien le principe de contraction que le
principe de dilatation ; il disperse et cohère.
Cette théorie émise en 1787 par un auteur qui
veut éviter toute érudition vient d'ailleurs de
loin. Les alchimistes disaient déjà « la chaleur
est une qualité qui sépare les choses hétérogé-
nées, et cuit les homogénées ». Comme il n'y a
nul contact entre les auteurs que nous citons ici,
on voit que nous touchons bien une de ces intuitions subjectivement naturelles qui concilient
abusivement les contraires.

Nous avons pris cette contradiction comme
type parce qu'elle touche une propriété géométrique. Elle devrait donc être particulièrement
insupportable. Mais si l'on voulait tenir compte
des contradictions plus sourdes, au niveau des
qualités plus vagues, on en viendrait facilement
à cette conviction que cette contradiction géométrique, comme toutes les autres contradictions,
relève moins de la *physique du feu* que de la *psychologie du feu.* Nous allons insister sur ces contradictions pour montrer que la contradiction est,
pour l'inconscient, plus qu'une tolérance, qu'elle
est vraiment un besoin. C'est en effet par la
contradiction qu'on arrive le plus aisément à

1. Reynier, *loc. cit.,* p. 39 et 43.

l'originalité, et l'originalité est une des prétentions dominantes de l'inconscient. Quand il s'ap-
plique sur des connaissances objectives, ce besoin
d'originalité *majore* les détails du phénomène,
réalise les nuances, *causalise* les accidents, exactement de la même manière que le romancier
fait un héros avec une somme artificielle de sin-
gularités, un caractère volontaire avec une somme
d'inconséquences. Ainsi, pour Nicolas de Locques [1]
« cette chaleur céleste, ce feu qui fait la vie, dans
une matière sèche est lié et stupide, dans une humide très dilaté, dans une chaude très actif, et
dans une froide congelé et mortifié ». Ainsi l'on
préfère dire que le feu est congelé dans une matière
froide que d'accepter qu'il disparaisse. Les contradictions s'accumulent pour garder au feu sa valeur.

Mais étudions d'un peu plus près un auteur
auquel les littérateurs ont fait une réputation de
savant. Prenons le livre de la marquise du Châtelet. Dès les premières pages, le lecteur est mis
au centre du drame : le feu est un mystère et il
est familier! « Il échappe à tout moment aux
prises de notre esprit, quoiqu'il soit au-dedans de
nous-mêmes. » Il y a donc une *intimité* du feu
dont la fonction va être de contredire les *apparences* du feu. On est toujours différent de ce qu'on
laisse paraître. Aussi Mme du Châtelet précise
que la lumière et la chaleur sont des *modes* et non
des *propriétés* du feu. Avec ces distinctions métaphysiques, nous sommes loin de l'esprit prépositif
qu'on voudrait accorder trop communément aux

1. Nicolas de Locques, *loc. cit.*, p. 46.

expérimentateurs du XVIIIᵉ siècle. Mᵐᵉ du Châtelet entreprend une série d'expériences pour séparer ce qui brille et ce qui chauffe. Elle rappelle que les rayons de la Lune ne portent point la chaleur ; même concentrés au foyer d'une lentille, ils ne brûlent point. La Lune est froide. Ces quelques réflexions suffisent pour justifier cette étrange proposition : « La chaleur n'est pas essentielle au Feu élémentaire. » Dès la quatrième page de son mémoire, Mᵐᵉ du Châtelet fait montre d'un esprit original et profond par cette seule contradiction. Comme elle le dit, elle voit la Nature « d'un autre œil que le vulgaire ». Quelques expériences rudimentaires ou observations naïves lui suffisent cependant pour décider que le feu, loin d'être pesant comme le veulent certains chimistes, a une tendance vers le haut. Aussitôt ces observations discutables conduisent à des principes métaphysiques. « Le Feu est donc l'antagoniste perpétuel de la pesanteur, loin de lui être soumis ; ainsi tout est, dans la Nature, dans de perpétuelles oscillations de dilatation et contraction par l'action du Feu sur les corps, et la réaction des corps qui s'opposent à l'action du feu par la pesanteur et la cohésion de leurs parties... Vouloir que le feu soit pesant, c'est détruire la Nature, c'est enfin lui ôter sa propriété la plus essentielle, celle par laquelle il est un des ressorts du Créateur. » Faut-il noter la disproportion des expériences et des conclusions ? En tout cas, la facilité avec laquelle on a trouvé une contre-loi pour contredire la pesanteur universelle, nous paraît très symptomatique d'une activité de l'inconscient. L'inconscient est le facteur des dialectiques massives, si fréquentes dans les discussions de mauvaise foi, si différentes des dialectiques logiques et claires, appuyées sur une alternative explicite. D'un détail irrégulier, l'inconscient prend prétexte pour faire une généralité adverse : une physique de l'inconscient est toujours une physique de l'exception.

CHAPITRE VI

L'alcool : l'eau qui flambe
le punch : le complexe de Hoffmann
les combustions spontanées

Une des contradictions phénoménologiques les
plus manifestes a été apportée par la découverte
de l'alcool, triomphe de l'activité thaumaturge
de la pensée humaine. L'eau-de-vie, c'est l'eau
de feu. C'est une eau qui brûle la langue et qui
s'enflamme à la moindre étincelle. Elle ne se
borne pas à dissoudre et à détruire comme l'*eau-
forte*. Elle disparaît avec ce qu'elle brûle. Elle est
la communion de la vie et du feu. L'alcool est
aussi un aliment *immédiat* qui met tout de suite
sa chaleur au creux de la poitrine : à côté de
l'alcool, les viandes elles-mêmes sont *tardives*.
L'alcool est donc l'objet d'une valorisation substantielle évidente. Lui aussi, il manifeste son
action en petites quantités : il dépasse en concentration les consommés les plus exquis. Il suit la
règle des désirs de possession réaliste : tenir une
grande puissance sous un petit volume.

Puisque l'eau-de-vie brûle devant les yeux
extasiés, puisqu'elle réchauffe tout l'être au creux
de l'estomac, elle fait la preuve de la convergence
des expériences intimes et objectives. Cette double

phénoménologie prépare des *complexes* qu'une psychanalyse de la connaissance objective devra dissoudre pour retrouver la liberté de l'expérience. Parmi ces complexes, il y a en un qui est bien spécial et bien fort ; c'est celui qui ferme pour ainsi dire le cercle : quand la flamme a couru sur l'alcool, quand le feu a apporté son témoignage et son signe, quand l'eau de feu primitive s'est clairement enrichie de flammes qui brillent et qui brûlent, on la boit. Seule de toutes les matières du monde, l'eau-de-vie est aussi près de la matière du feu.

Aux grandes fêtes d'hiver, dans mon enfance, on faisait un *brûlot*. Mon père versait dans un large plat du marc de notre vigne. Au centre, il plaçait des morceaux de sucre cassé, les plus gros du sucrier. Dès que l'allumette touchait la pointe du sucre, la flamme bleue descendait avec un petit bruit sur l'alcool étendu. Ma mère éteignait la suspension. C'était l'heure du mystère et de la fête un peu grave. Des visages familiers, mais soudain inconnus dans leur lividité, entouraient la table ronde. Par instant, le sucre grésillait avant l'écroulement de sa pyramide, quelques franges jaunes pétillaient aux bords des longues flammes pâles. Si les flammes vacillaient, mon père tourmentait le brûlot avec une cuiller de fer. La cuiller emportait une gaine de feu comme un outil du diable. Alors on « théorisait » : éteindre trop tard, c'est avoir un brûlot trop doux ; éteindre trop tôt, c'est « concentrer » moins de feu et par conséquent diminuer l'action bienfaisante du brûlot contre la grippe. L'un parlait d'un brûlot

qui brûlait jusqu'à la dernière goutte. Un autre
racontait l'incendie chez le distillateur, quand les
tonneaux de rhum « explosaient comme des
barils de poudre », explosion à laquelle personne
n'a jamais assisté. A toute force, on voulait trouver
un sens objectif et général à ce phénomène exceptionnel... Enfin, le brûlot était dans mon verre :
chaud et poisseux, vraiment essentiel. Aussi,
comme je comprends Vigenère quand, d'une
manière un peu mièvre, il parle du brûlot comme
« d'un petit expériment... fort gentil et rare ».
Comme je comprends aussi Boerhaave quand il
écrit : « Ce qui m'a paru le plus agréable dans cette
expérience, c'est que la flamme excitée par l'allumette dans un endroit éloigné de cette écuelle...
va allumer l'alcool qui est dans cette même écuelle. »
Oui, c'est le vrai feu mobile, le feu qui s'amuse à la
surface de l'être, qui joue avec sa propre substance, bien libéré de sa propre substance, libéré
de soi. C'est le feu follet domestiqué, le feu dia-
bolique au centre du cercle familial. Après un tel
spectacle, les confirmations du goût laissent des
souvenirs impérissables. De l'œil extasié à l'estomac réconforté s'établit une correspondance
baudelairienne d'autant plus solide qu'elle est
plus matérialisée. Pour un buveur de brûlot,
comme elle est pauvre, comme elle est froide,
comme elle est *obscure*, l'expérience d'un buveur
de thé chaud !

Faute de l'expérience personnelle de cet alcool
sucré et chaud, né de la flamme en un minuit
joyeux, on comprend mal la valeur romantique
du punch, on manque d'un moyen diagnostique

pour étudier certaines *poésies fantasmagoriques*.
Par exemple, un des traits les plus caractéris-
tiques de l'œuvre de Hoffmann, de l'œuvre du
« fantastiqueur », c'est l'importance qu'y jouent
les phénomènes du feu. Une poésie de la flamme
traverse l'œuvre entière. En particulier, le *complexe
du punch* y est si manifeste que l'on pourrait
l'appeler le *complexe de Hoffmann*. Un examen
superficiel pourrait se contenter de dire que le
punch est un prétexte pour les contes, le simple
accompagnement d'un soir de fête. Par exemple,
un des plus beaux récits, « Le chant d'Antonia »
est raconté un soir d'hiver « autour d'un guéridon
où flambe à pleine terrine le punch de l'amitié »,
mais cette invitation au fantastique n'est qu'un
prélude au récit ; elle ne fait pas corps avec lui.
Encore qu'il soit frappant qu'un récit aussi émou-
vant soit ainsi mis sous le signe du feu, dans
d'autres cas le signe est vraiment intégré au conte.
Les amours de Phosphorus et de la Fleur de lis
illustrent la poésie du feu (3ᵉ veillée) « le désir,
qui développe dans tout ton être une chaleur
bienfaisante, plongera bientôt dans ton cœur
mille dards acérés : car... la volupté suprême
qu'allume cette étincelle que je dépose en toi, est
la douleur sans espoir qui te fera périr, pour ger-
mer de nouveau sous forme étrangère. Cette étincelle est la pensée! — Hélas! soupira la fleur
d'un ton plaintif, dans l'ardeur qui m'embrase
maintenant, ne puis-je pas être à toi »? Dans
le même conte, quand la sorcellerie qui devrait
ramener l'étudiant Anselme à la pauvre Véro-
nique s'achève, il n'y a plus « qu'une légère flamme

d'esprit de vin qui brûle au fond de la chaudière ».
Plus loin, Lindhorst, le salamandre, entre et sort
du bol de punch ; les flammes, tour à tour, l'ab-
sorbent et le manifestent. La bataille de la sor-
cière et du salamandre est une bataille de flammes,
les serpents sortent de la soupière de punch. La
folie et l'ivresse, la raison et la jouissance sont
constamment présentées dans leurs interférences.
De temps en temps apparaît dans les contes un bon
bourgeois qui voudrait « comprendre » et qui dit
à l'étudiant « comment ce punch maudit a-t-il
pu nous monter à la tête et nous pousser à mille
extravagances ? Ainsi parlait le professeur Paul-
mann, quand il entra le matin suivant dans la
chambre encore parsemée de pots cassés, au milieu desquels l'infortunée perruque, réduite à ses
éléments primitifs, nageait, dissoute, dans un
océan de punch. » Ainsi l'explication rationalisée,
l'explication bourgeoise, l'explication par un
aveu d'ivresse, vient modérer les visions fantasmagoriques, de sorte que le conte apparaît entre
raison et rêve, entre expérience subjective et
vision objective, à la fois plausible dans sa cause
et irréel dans son effet.

M. Sucher dans son étude sur *Les Sources du
merveilleux chez Hoffmann* ne fait aucune place
aux expériences de l'alcool ; il note cependant
incidemment (p. 92) : « Quant à Hoffmann, il n'a
guère vu les salamandres que dans les flammes
du punch. » Mais il n'en tire pas la conclusion
qui, nous semble-t-il, s'impose. Si, d'une part,
Hoffmann n'a vu les salamandres qu'un soir
d'hiver dans le punch flamboyant, quand les re-

venants viennent au milieu de la fête des hommes pour faire trembler les cœurs ; si, d'autre part, comme c'est évident, les démons du feu jouent un rôle primordial dans la rêverie hoffmannienne, il faut bien admettre que c'est la flamme paradoxale de l'alcool qui est l'inspiration première et que tout un plan de l'édifice hoffmannien s'éclaire dans cette lumière. Il nous semble donc que l'étude si intelligente et si fine de M. Sucher s'est privée d'un élément d'explication important. Il ne faut pas trop vite s'adresser aux constructions de la raison pour comprendre un génie littéraire original. L'inconscient, lui aussi, est un facteur d'originalité. En particulier, l'inconscient alcoolique est une réalité profonde. On se trompe quand on imagine que l'alcool vient simplement exciter des possibilités spirituelles. Il crée vraiment ces possibilités. Il s'incorpore pour ainsi dire à ce qui fait effort pour s'exprimer. De toute évidence, l'alcool est un facteur de langage. Il enrichit le vocabulaire et libère la syntaxe. En fait, pour en revenir au problème du feu, la psychiatrie a reconnu la fréquence des rêves du feu dans les délires alcooliques ; elle a montré que les hallucinations lilliputiennes étaient sous la dépendance de l'excitation de l'alcool. Or la rêverie qui tend à la miniature tend à la profondeur et à la stabilité ; c'est la rêverie qui finalement prépare le mieux la pensée rationnelle. Bacchus est un dieu bon ; en faisant divaguer la raison, il empêche l'ankylose de la logique et prépare l'invention rationnelle.

Elle est également très symptomatique, cette

page de Jean-Paul écrite en une nuit du 31 décembre d'une tonalité déjà si hoffmannienne, où, autour de la flamme blême d'un punch, le poète et quatre de ses amis résolurent soudain de *se voir morts les uns les autres* : « Ce fut comme si la main de la Mort eût exprimé le sang de tous les visages ; les lèvres devinrent exsangues, les mains blanches et allongées ; la chambre fut un caveau funèbre... Sous la lune, un vent silencieux déchirait et fouettait les nuages et, aux endroits où ils laissaient des trouées dans le ciel libre, on apercevait des ténèbres qui s'étendaient jusqu'au-delà des astres. Tout était silencieux ; l'année semblait se débattre, rendre son dernier souffle et s'abîmer dans les tombeaux du passé. O Ange du Temps, toi qui as compté les soupirs et les larmes des humains, oublie-les ou cache-les! Qui supporterait la pensée de leur nombre [1]? » Comme il faut peu de chose pour faire pencher la rêverie dans un sens ou dans l'autre! C'est un jour de fête ; le poète a le verre en main près de joyeux compagnons ; mais une lueur livide sortie du brûlot donne un ton lugubre aux plus jeunes chansons : soudain le pessimisme du feu éphémère vient changer la rêverie, la flamme mourante symbolise l'année qui s'en va et le temps, lieu des peines, s'appesantit sur les cœurs. Si l'on nous objecte une fois de plus que le punch de Jean-Paul est un simple prétexte à un idéalisme fantasmagorique, à peine plus matériel que l'idéalisme magique de Novalis, on devra

---

1. Cité et commenté par Albert Béguin, *L'Ame romantique et le rêve*, Marseille, 1937, 2 vol., t. II, p. 62.

reconnaître que ce prétexte trouve dans l'inconscient du lecteur un développement complaisant. C'est la preuve, d'après nous, que la contemplation des objets fortement valorisés déclenche des rêveries dont le développement est aussi régulier, aussi fatal que les expériences sensibles.

Des âmes moins profondes rendront des sonorités plus factices, mais toujours retentira le thème fondamental. O'Neddy chante dans la *Première nuit de Feu et Flamme* :

Au centre de la salle, autour d'une urne de fer
Digne émule en largeur des coupes de l'enfer,
Dans laquelle un beau punch, aux prismatiques flammes,
Semble un lac sulfureux, qui fait houler ses lames,

Et le sombre atelier n'a pour tout éclairage
Que la gerbe du punch, spiritueux mirage.
Quel pur ossianisme en ce couronnement
De têtes à front mat...

Les vers sont mauvais, mais ils accumulent toutes les traditions du brûlot et désignent fort bien, dans leur pauvreté poétique, le complexe de Hoffmann qui plaque de la pensée savante sur des impressions naïves. Pour le poète, le soufre et le phosphore nourrissent le prisme des flammes ; l'enfer est présent dans cette fête impure. Si les *valeurs* de la rêverie devant la flamme manquaient à ces pages, leur *valeur* poétique ne pourrait soutenir la lecture. L'inconscient du lecteur supplée à l'insuffisance de l'inconscient du poète. Les strophes d'O'Neddy ne tiennent que par « l'ossianisme » de la flamme du punch. Elles sont pour

nous l'évocation de toute une époque où les
Jeunes-France romantiques se réunissaient autour
du Bol de Punch [1], où la vie de bohème était illuminée, comme le dit Henry Murger, par les « brû-
lots de la passion ».

Sans doute, cette époque paraît révolue. Le
brûlot et le punch sont actuellement dévalorisés.
L'anti-alcoolisme, avec sa critique tout en slogans,
a interdit de telles expériences. Il n'en est pas moins
vrai, nous semble-t-il, que toute une région de la
littérature fantasmagorique relève de la poétique
excitation de l'alcool. Il ne faut pas oublier les
bases concrètes et précises, si l'on veut comprendre
le sens psychologique des constructions littéraires.
Les thèmes directeurs gagneraient à être pris un
à un, dans leur précision, sans les noyer trop vite
dans des aperçus généraux. Si notre présent travail
pouvait avoir une utilité, il devrait suggérer une
classification des thèmes objectifs qui préparerait
une classification des tempéraments poétiques.
Nous n'avons pas encore pu mettre au point une
doctrine d'ensemble, mais il nous semble bien qu'il
y a quelque rapport entre la doctrine des quatre
éléments physiques et la doctrine des quatre
tempéraments. En tout cas les âmes qui rêvent sous
le signe du feu, sous le signe de l'eau, sous le signe
de l'air, sous le signe de la terre se révèlent comme
bien différentes. En particulier, l'eau et le feu
restent ennemis jusque dans la rêverie et celui
qui écoute le ruisseau ne peut guère comprendre
celui qui entend chanter les flammes : ils ne parlent
pas la même langue.

1. Cf. Théophile Gautier, *Les Jeunes-France. Le Bol de Punch*, p. 244.

En développant, dans toute sa généralité, cette Physique, ou cette Chimie de la rêverie, on arriverait facilement à une doctrine tétravalente des tempéraments poétiques. En effet, la tétravalence de la rêverie est aussi nette, aussi productive, que la tétravalence chimique du carbone. La rêverie a quatre domaines, quatre pointes par lesquelles elle s'élance dans l'espace infini. Pour forcer le secret d'un vrai poète, d'un poète sincère, d'un poète fidèle à sa langue originelle, sourd aux échos discordants de l'éclectisme sensible qui voudrait jouer de tous les sens, un mot suffit : « Dis-moi quel est ton fantôme ? Est-ce le gnôme, la salamandre, l'ondine ou la sylphide ? » Or, — l'a-t-on remarqué ? — tous ces êtres chimériques sont formés et nourris d'une matière unique : le gnôme terrestre et condensé vit dans la fissure du rocher, gardien du minéral et de l'or, gorgé des substances les plus compactes ; le salamandre tout en feu se dévore dans sa propre flamme ; l'ondine des eaux glisse sans bruit sur l'étang et se nourrit de son reflet ; la sylphide que la moindre substance alourdit, que le moindre alcool effarouche, qui se fâcherait peut-être d'un fumeur qui « souille son élément » (Hoffmann) s'élève sans peine dans le ciel bleu, heureuse de son anorexie.

Il ne faudrait cependant pas rattacher une telle classification des inspirations poétiques à une hypothèse plus ou moins matérialiste qui prétendrait retrouver dans la chair des hommes un élément matériel prédominant. Il ne s'agit point de matière, mais d'orientation. Il ne s'agit point de racine substantielle, mais de tendances, d'exalta-

tion. Or ce qui oriente les tendances psychologiques,
ce sont les images primitives ; ce sont les spectacles
et les impressions qui ont, subitement, donné un
intérêt à ce qui n'en a pas, un *intérêt à l'objet*. Sur
cette image valorisée, tout l'imagination a con-
vergé ; et c'est ainsi que, par une porte étroite,
l'imagination comme dit Armand Petitjean « nous
transcende et nous met face au monde ». La *con-
version* totale de l'imagination qu'Armand Petitjean a analysée avec une lucidité étonnante [1]
est comme préparée par cette traduction préli-
minaire du bloc des images dans le langage d'une
image préférée. Si nous avions raison à propos de
cette polarisation imaginative, on comprendrait
mieux pourquoi deux esprits en apparence congénères, comme Hoffmann et Edgar Poe, se révèlent
finalement comme profondément différents. Tous
deux ont été puissamment aidés, dans leur tâche
surhumaine, inhumaine, géniale par le puissant
alcool. Mais l'alcoolisme de Hoffmann apparaît
cependant comme bien différent de l'alcoolisme
d'Edgar Poe. L'alcool de Hoffmann, c'est l'alcool
qui flambe ; il est marqué du signe tout qualitatif,
tout masculin du feu. L'alcool de Poe, c'est l'alcool
qui submerge et qui donne l'oubli et la mort ; il
est marqué du signe tout quantitatif, tout féminin,
de l'eau. Le génie d'Edgar Poe est associé aux eaux
dormantes, aux eaux mortes, à l'étang où se
reflète la *Maison Usher*. Il entend « la rumeur par
le flot tourmenté » suivant « la vapeur opiacée,
obscure, humide qui doucement se distille goutte

1. Armand Petitjean, *Imagination et Réalisation*, Paris, 1936, *passim*.

à goutte... parmi l'universelle vallée » tandis que
« le lac semble goûter un sommeil conscient »
(*La Dormeuse*, trad. Mallarmé). Pour lui, les
montagnes et les villes « tombent à jamais dans les
mers sans nul rivage ». C'est près des marécages,
des flaques et des étangs lugubres « où habitent les
goules — en chaque lieu le plus décrié — dans
chaque coin le plus mélancolique — qu'il retrouve
« les réminiscences drapées du passé — formes ense-
velies qui reculent et soupirent quand elles passent
près du promeneur » (*Terre de Songe*). S'il pense à
un volcan, c'est pour le voir couler comme l'eau des
fleuves « mon cœur était volcanique comme les
rivières scoriaques ». Ainsi l'élément où se polarise
son imagination, c'est l'eau ou la terre morte et
sans fleur ; ce n'est pas le feu. On s'en convaincra
encore psychanalytiquement en lisant l'admirable
ouvrage de Mme Marie Bonaparte [1]. On y verra que
le symbole du feu n'y intervient guère que pour
appeler l'élément opposé, l'eau (p. 350) ; que le
symbole de la flamme n'y joue que sur le mode
répulsif, comme une image grossièrement sexuelle,
devant laquelle on sonne le tocsin (p. 232). Le
symbolisme de la cheminée (p. 566, 597, 599) y
figure comme le symbolisme d'un vagin froid où
les assassins poussent et murent leur victime.
Edgar Poe fut vraiment un « sans foyer », l'enfant
des comédiens ambulants, l'enfant primitivement
épouvanté par la vision d'une mère étendue toute
jeune et souriante dans le sommeil de la mort.
L'alcool lui-même ne l'a pas réchauffé, réconforté,

---

1. Marie Bonaparte, *Edgar Poe*, Paris, *passim*.

égayé! Poe n'a pas dansé, comme une flamme
humaine, tenant par la main de joyeux compagnons
autour du punch enflammé. Aucun des complexes
qui se forment dans l'amour du feu ne sont venus
le soutenir et l'inspirer. L'eau seule lui a donné son
horizon, son infini, la profondeur insondable de
sa peine, et c'est tout un autre livre qu'il faudrait
écrire pour déterminer la poésie des voiles et des
lueurs, la poésie de la peur vague qui nous fait
tressaillir en faisant résonner en nous les gémisse-
ments de la Nuit.

II

Nous venons de voir l'esprit poétique obéir
tout entier à la séduction d'une image préférée ;
nous l'avons vu amplifier toutes les possibilités,
penser le grand sur le modèle du petit, le général
sur le modèle du pittoresque, la puissance sur le
modèle d'une force éphémère, l'enfer sur le modèle
du brulôt. Nous allons maintenant montrer que
l'esprit préscientifique, dans son impulsion primitive, ne travaille guère autrement, et que lui aussi
amplifie la puissance d'une manière abusivement
majorée par l'inconscient. L'alcool va être dépeint
dans des effets si manifestement horribles qu'il ne
nous sera pas difficile de lire dans les phénomènes
décrits la *volonté moralisatrice* des spectateurs. Ainsi,
alors que l'antialcoolisme se développe au xixe
siècle, sur le thème évolutionniste, en chargeant le

buveur de toutes les responsabilités de sa race, nous allons voir l'anti-alcoolisme se développer, au xviiie siècle, sur le thème substantialiste alors prédominant. La volonté de condamner emploie toujours l'arme qu'elle a sous la main. D'une manière plus générale, en dehors de la leçon moralisatrice habituelle, nous allons avoir encore un exemple de l'inertie des obstacles substantialiste et animiste au seuil de la connaissance objective.

L'alcool étant éminemment combustible, on imagine assez facilement que les personnes qui s'adonnent aux liqueurs spiritueuses deviennent en quelque sorte *imprégnées* de matières inflammables. On ne cherche pas à savoir si l'assimilation de l'alcool transforme l'alcool. Le complexe d'Harpagon qui commande à la culture comme à toute besogne matérielle nous fait croire que nous ne perdons rien de ce que nous absorbons et que toutes les substances précieuses sont soigneusement mises en réserve ; la graisse donne de la graisse ; les phosphates donnent des os ; le sang donne du sang ; l'alcool donne de l'alcool. En particulier l'inconscient ne peut admettre qu'une qualité aussi caractéristique et aussi merveilleuse que la combustibilité puisse disparaître totalement. Voici alors la conclusion : qui boit de l'alcool peut brûler comme l'alcool. La conviction substantialiste est si forte que les *faits*, sans doute comptables d'une explication plus normale et plus variée, vont s'imposer à la crédulité publique, tout le long du xviiie siècle. En voici quelques-uns recopiés en bonne place par Socquet, auteur réputé, dans un *Essai sur le Calorique* publié en 180·

Tous ces exemples sont empruntés, remarquons-le en passant, à l'époque des Lumières.

« On lit dans les actes de Copenhague, qu'en 1692, une femme du peuple, dont la nourriture consistait presque uniquement dans un usage immodéré des liqueurs spiritueuses, fut trouvée un matin consumée entièrement, excepté les dernières articulations des doigts et le crâne...

« L'*Annual Register* de Londres pour 1763 (t. XVIII, p. 78) rapporte l'exemple d'une femme âgée de cinquante ans très adonnée à l'ivrognerie, buvant depuis un an et demi une pinte de rhum ou d'eau-de-vie par jour, et qui fut trouvée presque entièrement réduite en cendres, entre sa cheminée et son lit, sans que les couvertures et autres meubles eussent beaucoup souffert ; ce qui mérite attention. » Cette dernière remarque dit assez clairement que l'intuition est satisfaite par cette supposition d'une combustion tout interne, toute substantielle qui sait en quelque manière reconnaître son combustible préféré.

« On rencontre dans l'*Encyclopédie méthodique* (Art. « Anatomie pathologique de l'homme »), l'histoire d'une femme d'environ cinquante ans qui, faisant un abus continuel de liqueurs spiritueuses, fut également consumée dans l'espace de peu d'heures. Vicq-d'Azyr qui cite le fait, loin de le contester, assure qu'il en existe beaucoup d'autres semblables.

« Les Mémoires de la Société royale de Londres offrent un phénomène aussi frappant... Une femme de soixante ans fut trouvée incinérée un matin, après avoir, dit-on, bu largement des liqueurs

spiritueuses le soir antécédent. Les meubles
n'avaient pas beaucoup souffert et le feu du foyer
de sa cheminée était entièrement éteint. Ce fait
est attesté par une foule de témoins oculaires...

« Le Cat, dans un *Mémoire sur les incendies
spontanés*, cite plusieurs cas de combustions
humaines de ce genre. » On en verrait d'autres
dans l'*Essai sur les Combustions humaines* de
Pierre-Aimé Lair.

Jean-Henri Cohausen, dans un livre imprimé
à Amsterdam sous le titre *Lumen novum Phos-
phoris accensum* raconte (p. 92) : « Qu'un gentil-
homme, du temps de la reine Bona Sforza, ayant
bu une grande quantité d'eau-de-vie, vomit des
flammes et en fut consumé. »

On peut lire encore dans les Ephémérides
d'Allemagne que « souvent dans les contrées
septentrionales, il s'élève des flammes de l'estomac
de ceux qui boivent abondamment des liqueurs
fortes. Il y a dix-sept ans, dit l'auteur, que trois
gentilshommes de Courlande dont je tairai les
noms par bienséance, ayant bu par émulation
des liqueurs fortes, deux d'entre eux moururent
brûlés et suffoqués par une flamme qui leur sortait
de l'estomac. »

Jallabert, un des auteurs les plus souvent cités
comme technicien des phénomènes électriques,
s'appuyait, en 1749, sur des « faits » semblables
pour expliquer la production du feu électrique
par le corps humain. Une femme souffrant de
rhumatisme s'était frottée tous les jours pendant
longtemps avec de l'esprit de vin camphré. Elle
fut trouvée un matin réduite en cendres sans

qu'il y ait lieu de soupçonner que le feu du ciel ni
le feu commun aient eu part à cet étrange accident.
« On ne peut l'attribuer qu'aux parties les plus
déliées des soufres du corps fortement agitées par
le frottement, et mêlées avec les particules les
plus subtiles de l'esprit de vin camphré [1]. » Un
autre auteur, Mortimer, donne ce conseil [2] :
« Je croirais volontiers qu'il serait dangereux
pour les personnes accoutumées à prendre beaucoup de liqueurs spiritueuses, ou à des embroca-
tions avec de l'esprit de vin camphré, de se faire
électriser. »

On estime si forte la concentration substantielle
de l'alcool dans les chairs que l'on ose parler
d'*incendie spontané* de sorte que l'ivrogne n'a
même pas besoin d'une allumette pour s'enflammer. En 1766, l'abbé Poncelet, un émule de
Buffon, dit encore : « La chaleur, comme principe
de vie, commence et maintient le jeu de l'organi-
sation animale, mais lorsqu'elle est portée jusqu'au
degré de feu, elle cause d'étranges ravages. N'a-t-on
pas vu des ivrognes, dont les corps étaient sura-
bondamment imprégnés d'esprits ardents, par la
boisson habituelle et excessive de liqueurs fortes,
qui ont tout à coup pris feu d'eux-mêmes et ont
été consumés par des incendies spontanés ? »
Ainsi l'incendie par l'alcoolisme n'est qu'un cas
particulier d'une concentration anormale de calorique.

Certains auteurs vont jusqu'à parler de défla-

1. Jallabert, *Expériences sur l'électricité avec quelques conjectures
sur la cause de ses effets*, Paris, 1749, p. 293.
2. Martine, *Dissertations sur la chaleur*, trad., Paris, 1751, p. 350.

gration. Un distillateur ingénieux, auteur d'une Chimie du Goût et de l'Odorat, signale en ces termes les dangers de l'alcool[1] : « L'alcool n'épargne ni muscle, ni nerf, ni lymphe, ni sang, qu'il allume au point de faire périr par déflagration surprenante et momentanée, ceux qui osent porter l'excès jusqu'à son dernier période. »

Au XIXe siècle, ces incendies spontanés, terribles punition de l'alcoolisme, cessent presque complètement. Ils deviennent peu à peu métaphoriques et donnent lieu à des plaisanteries faciles sur les mines allumées des ivrognes, sur le nez rubicond qu'une allumette enflammerait. Ces plaisanteries sont d'ailleurs immédiatement comprises, ce qui prouve que la pensée préscientifique traîne longtemps dans le langage. Elle traîne aussi dans la littérature. Balzac a la prudence d'en citer la référence par la bouche d'une mégère. Dans *Le Cousin Pons*, Mme Cibot, la belle écaillère, dit encore, en son langage incorrect[2] : « C'te femme, pour lors, n'a pas réussi, rapport à son homme qui buvait tout et qui est mort d'une *imbustion* spontanée. »

Par contre, Emile Zola, dans un de ses livres les plus « savants », dans *Le Docteur Pascal*, relate tout au long une combustion humaine spontanée[3] : « Par le trou de l'étoffe, large déjà comme une pièce de cent sous, on voyait la cuisse nue, une cuisse

1. Sans nom d'auteur. *Chimie du Goût et de l'Odorat* ou *Principe pour composer facilement, et à peu de frais, les liqueurs à boire et les eaux de senteur*, Paris, 1755, p. V.
2. Balzac, *Le Cousin Pons*, Éd. Calmann-Lévy, p. 172.
3. Emile Zola, *Le Docteur Pascal*, p. 227.

rouge, d'où sortait une petite flamme bleue. D'abord Félicité crut que c'était du linge, le caleçon, la chemise qui brûlait. Mais le doute n'était pas permis, elle voyait bien la chair à nu, et la petite flamme bleue s'en échappait, légère, dansante telle qu'une flamme errante, à la surface d'un vase d'alcool enflammé. Elle n'était guère plus haute qu'une flamme de veilleuse, d'une douceur muette, si instable, que le moindre frisson de l'air la déplaçait. » De toute évidence, ce que Zola transporte dans le règne des faits, c'est sa rêverie devant son bol de punch, son complexe de Hoffmann. Alors s'étalent, dans toute leur ingénuité, les intuitions substantialistes que nous avons caractérisées dans les pages précédentes : « Félicité comprit que l'oncle s'allumait là, comme une éponge imbibée d'eau-de-vie. Lui-même en était saturé depuis des ans, de la plus forte, de la plus inflammable. Il flamberait sans doute tout à l'heure des pieds à la tête. » Comme on le voit, la chair vivante n'a garde de perdre les verres de trois-six absorbés dans les années précédentes. On imagine plus agréablement que l'assimilation alimentaire est une concentration soigneuse, une capitalisation avaricieuse de la substance choyée...

Le lendemain, quand le docteur Pascal vient voir l'oncle Macquart, il ne trouve plus, comme dans les récits préscientifiques que nous avons relatés, qu'une poignée de cendre fine, devant la chaise à peine noircie. Zola force la note : « Rien ne restait de lui, pas un os, pas une dent, pas un ongle, rien que ce tas de poussière grise, que le courant d'air de la porte menaçait de balayer. » Et finalement

voici apparaître le secret désir de l'apothéose par
le feu ; Zola entend l'appel du bûcher total, du
bûcher intime ; il laisse deviner dans son inconscient
de romancier les indices très clairs du complexe
d'Empédocle : l'oncle Macquart était donc mort
« royalement, comme le prince des ivrognes,
flambant de lui-même, se consumant dans le
bûcher embrasé de son propre corps... s'allumer
soi-même comme un feu de la Saint-Jean ! » Où
Zola a-t-il vu des feux de la Saint-Jean qui s'allu-
maient d'eux-mêmes, comme des passions ardentes ?
Comment mieux avouer que le sens des métaphores
objectives est inversé et que c'est dans l'inconscient
le plus intime qu'on trouve l'inspiration des
flammes ardentes qui peuvent, du dedans, consumer un corps vivant ?

Un tel récit, imaginé de toutes pièces, est particulièrement grave sous la plume d'un écrivain
naturaliste qui disait modestement : « Je ne suis
qu'un savant. » Il donne à penser que Zola a
construit son image de la science avec ses rêveries
les plus naïves et que ses théories de l'hérédité
obéissent à la simple intuition d'un passé qui
s'inscrit dans une matière sous une forme sans
doute aussi pauvrement substantialiste, aussi
platement réaliste que la *concentration* d'un alcool
dans une chair, du feu dans un cœur en fièvre.

Ainsi conteurs, médecins, physiciens, romanciers,
tous rêveurs, partent des mêmes images et vont
aux mêmes pensées. Le complexe de Hoffmann
les noue sur une image première, sur un souvenir
d'enfance. Suivant leur tempérament, obéissant
à leur « fantôme » personnel, ils enrichissent le

côté subjectif ou le côté objectif de l'objet contemplé. Des flammes qui sortent du brûlot, ils font des hommes de feu ou des jets substantiels. Dans tous les cas, ils *valorisent* ; ils apportent toutes leurs passions pour expliquer un trait de flamme ; ils donnent leur cœur entier pour « communier » avec un spectacle qui les émerveille et qui, par conséquent, les trompe.

CHAPITRE VII

Le feu idéalisé : feu et pureté

Max Scheler a montré ce qu'il y a d'excessif dans la théorie de la *sublimation* telle que la développe la Psychanalyse classique. Cette théorie suit la même inspiration que la doctrine utilitaire qui est à la base des explications évolutionnistes. « La morale naturaliste confond toujours le noyau et la coquille. En voyant les hommes qui aspirent à la sainteté recourir, pour expliquer à eux-mêmes et aux autres toute l'ardeur de leur amour pour les choses spirituelles et divines, aux mots d'une langue qui n'est pas faite pour exprimer des choses aussi rares, à des images, analogies et comparaisons empruntées à la sphère de l'amour purement sensuel, on ne manque pas de dire : il ne s'agit là que de convoitise sexuelle voilée, masquée ou finement sublimée [1]. » Et en des pages pénétrantes, Max Scheler dénonce cette nourriture par la souche qui interdirait la vie dans le bleu du ciel. Or s'il est vrai que la sublimation poétique, en particulier la sublimation romantique, garde le contact avec

---

1. Max Scheler, *Nature et Formes de la sympathie*, trad., p. 270.

la vie des passions, on peut trouver, précisément dans les âmes qui luttent contre les passions, une sublimation d'un autre type que nous appellerons la *sublimation dialectique* pour la distinguer de la *sublimation continue* que la Psychanalyse classique envisage uniquement.

On objectera à cette sublimation dialectique que l'énergie psychique est homogène, qu'elle est limitée et qu'on ne peut la détacher de sa fonction biologique normale. On dira qu'une transformation radicale laisserait un blanc, un vide, un trouble dans les activités sexuelles originelles. Une telle intuition matérialiste nous semble avoir été prise au contact du *matériel névrosé* sur lequel s'est fondée la Psychanalyse passionnelle classique. En fait, en ce qui nous concerne, par l'application des méthodes psychanalytiques dans l'activité de la *connaissance objective*, nous sommes arrivé à cette conclusion que le *refoulement* était une activité normale, une activité utile, mieux une activité joyeuse. Pas de pensée scientifique sans refoulement. Le refoulement est à l'origine de la pensée attentive, réfléchie, abstraite. Toute pensée cohérente est construite sur un système d'inhibitions solides et claires. Il y a une *joie de la raideur* au fond de la joie de la culture. C'est en tant qu'il est joyeux que le refoulement bien fait est dynamique et utile.

Pour justifier le refoulement, nous proposons donc l'inversion de l'utile et de l'agréable, en insistant sur la suprématie de l'agréable sur le nécessaire. A notre avis, la cure vraiment anagogique ne revient pas à libérer les tendances refoulées, mais à substituer au refoulement inconscient un refoulement conscient, une volonté constante de redressement. Cette transformation est très visible dans la rectification d'une erreur objective ou rationnelle. Avant la psychanalyse de la connaissance objective, une erreur scientifique est impliquée dans une vue philosophique, elle résiste à la réduction, elle s'obstine, par exemple, à expliquer des propriétés phénoménales sur le mode substantialiste, en suivant une philosophie réaliste. Après la psychanalyse de la connaissance objective, l'erreur est reconnue comme telle, mais elle reste comme un objet de polémique heureuse. Quelle allégresse profonde il y a dans les confessions d'erreurs *objectives*. Avouer qu'on s'était trompé, c'est rendre le plus éclatant hommage à la perspicacité de son esprit. C'est revivre sa culture, la renforcer, l'éclairer de lumières convergentes. C'est aussi l'extérioriser, la proclamer, l'enseigner. Alors prend naissance la pure jouissance du spirituel.

Mais combien cette jouissance est plus forte quand la connaissance objective est la connaissance objective du *subjectif*, quand nous découvrons dans notre propre cœur l'universel humain, quand l'étude de nous-mêmes étant loyalement psychanalysée, nous intégrons les règles morales dans les lois psychologiques ! Alors le feu qui nous brûlait, soudain, nous éclaire. La passion rencontrée devient la passion voulue. L'amour devient famille. Le feu devient foyer. Cette normalisation, cette socialisation, cette rationalisation passent souvent, avec la lourdeur de leurs néologismes,

pour des refroidissements. Elles éveillent la facile
moquerie des partisans d'un amour anarchique,
spontané, tout chaud encore des instincts primitifs. Mais à qui se spiritualise, la purification est
d'une étrange douceur et la conscience de la pureté
prodigue une étrange lumière. La purification seule
peut nous permettre de dialectiser, sans la détruire,
la fidélité d'un amour profond. Bien qu'elle aban-
donne une lourde masse de matière et de feu, la
purification a plus de possibilités, et non pas moins,
que l'impulsion naturelle. Seul un *amour purifié*
a des trouvailles affectueuses. Il est *individualisant*.
Il permet de passer de l'originalité au caractère.
« Certes, dit Novalis [1], une amante inconnue pos-
sède un charme magique. Mais l'aspiration à
l'inconnu, à l'imprévu, est extrêmement dange-
reuse et néfaste. » Dans la passion plus qu'ailleurs
encore, le besoin de constance doit dominer le
besoin d'aventure.

Mais nous ne pouvons développer longuement ici
cette thèse d'une sublimation dialectique qui
prend sa joie dans un refoulement clairement sys-
tématique. Il nous suffit de l'avoir indiquée dans
sa généralité. Nous allons maintenant la voir à
l'œuvre à l'occasion du problème précis que nous
étudions dans ce petit livre. La facilité de cette
étude particuliere sera d'ailleurs une preuve que le
problème de la connaissance du feu est un véritable problème de *structure psychologique*. Notre
livre apparaîtra alors comme un spécimen de toute
une série d'études mitoyennes, entre sujet et objet,

---

1. Novalis, *Journal intime*, suivi... de *Fragments inédits*, trad., p. 143.

qui pourraient être entreprises pour montrer l'influence fondamentale de certaines contemplations à prétextes objectifs sur la vie de l'esprit.

II

Si le problème psychologique du feu se prête si facilement à une interprétation de sublimation dialectique, c'est que les propriétés du feu apparaissent, comme nous en avons déjà fait souvent la remarque, chargées de nombreuses contradictions.

Pour toucher tout de suite le point essentiel et montrer la possibilité de deux centres de sublimation, étudions la dialectique de la pureté et de l'impureté attribuées l'une et l'autre au feu.

Que le feu soit parfois le signe du péché et du mal, c'est ce qui est facile à comprendre dès qu'on se souvient de tout ce que nous avons dit sur le feu sexualisé. Toute lutte contre les impulsions sexuelles doit donc être symbolisée par une lutte contre le feu. On pourrait facilement accumuler les textes où le caractère démoniaque du feu serait explicite ou implicite. Les descriptions littéraires de l'enfer, les gravures et les tableaux représentant le diable avec sa langue de feu donneraient lieu à une psychanalyse bien claire.

Transportons-nous donc à l'autre pôle et voyons comment le feu a pu devenir un symbole de pureté. Pour cela, il nous faut descendre jusqu'à des propriétés nettement phénoménales. C'est en effet la rançon de la méthode choisie dans cet ouvrage où il nous faut appuyer toutes les idées sur des faits objectifs. En particulier, nous n'évoquerons pas ici le problème théologique de la purification par le feu. Il faudrait, pour l'exposer, une très longue étude. Il suffit d'indiquer que le nœud du problème est au *contact* de la métaphore et de la réalité : le feu qui embrasera le monde au Jugement dernier, le feu de l'enfer sont-ils ou ne sont-ils pas semblables au feu terrestre ? Les textes sont aussi nombreux dans un sens que dans l'autre, car il n'est pas de foi que le feu de l'enfer soit un feu matériel de même nature que le nôtre. Cette variété dans les opinions peut d'ailleurs souligner l'énorme floraison des métaphores autour de l'image première du feu. Toutes ces fleurs de la raison théologique ornant « notre frère le feu » mériteraient une patiente classification. Pour nous qui nous donnons pour tâche de déterminer les racines *objectives* des images poétiques et morales nous devons chercher uniquement les *bases sensibles* du principe qui veut que le feu *purifie tout*.

Une des raisons les plus importantes de la valorisation du feu dans ce sens est peut-être la *désodorisation*. C'est en tout cas une des preuves les plus directes de la purification. L'odeur est une qualité primitive, impérieuse, qui s'impose par la présence la plus hypocrite ou la plus importune. Elle viole vraiment notre intimité. *Le feu purifie tout* parce qu'il supprime les odeurs nauséabondes. Là encore, l'*agréable prime l'utile* et nous ne pouvons suivre l'interprétation de Frazer qui prétend que l'aliment cuit a donné plus de force aux hommes d'une tribu qui, ayant conquis le feu de cuisine, ont mieux digéré les aliments préparés et se sont alors trouvés plus forts pour imposer leur joug à des tribus voisines. Avant cette force réelle, matérialisée, provenant d'une assimilation digestive plus facile, il faut placer la force imaginée, produite par la conscience du bien-être, de la fête intime de l'être, par l'agrément conscient. La viande cuite représente avant tout la putréfaction vaincue. Elle est, avec la boisson fermentée, le principe du banquet, c'est-à-dire le principe de la société primitive.

Par son action désodorisante le feu paraît transmettre une des valeurs les plus mystérieuses, les plus indéfinies et par conséquent les plus frappantes. C'est cette valeur sensible que forme la base phénoménologique de l'idée de *vertu substantielle.* Une psychologie de la primitivité doit faire une large place au psychisme olfactif.

Une deuxième raison du principe de purification par le feu, raison beaucoup plus savante et par conséquent beaucoup moins efficace psychologiquement, c'est que le feu sépare les matières et anéantit les impuretés matérielles. Autrement dit, ce qui a reçu l'épreuve du feu a gagné en homogénéité, donc en pureté. La fonte et la forge des minerais ont fourni un lot de métaphores qui sont toutes inclinées vers la même valorisation. Néanmoins cette fonte et cette forge restent des expériences exceptionnelles, des expériences savantes qui influent beaucoup sur la rêverie de l'homme des livres qui s'instruit sur les phénomènes rares, mais bien peu sur la rêverie naturelle qui revient toujours à l'image primitive.

Enfin, de ces feux de fusion, il faudrait sans doute rapprocher le feu agricole qui purifie les guérets. Cette purification est vraiment conçue comme profonde. Non seulement le feu détruit l'herbe inutile, mais il enrichit la terre. Faut-il rappeler les pensées virgiliennes si actives encore dans l'âme de nos laboureurs : « Souvent aussi il est bon d'incendier un champ stérile, et de livrer le chaume léger à la flamme pétillante : soit que le feu communique à la terre une vertu secrète et des sucs plus abondants ; soit qu'il la purifie et en sèche l'humidité superflue ; soit qu'il ouvre les pores et les canaux souterrains qui portent la sève aux racines des plantes nouvelles ; soit qu'il durcisse le sol, en resserre les veines trop ouvertes, et en ferme l'entrée aux pluies excessives, aux rayons brûlants du soleil, au souffle glacé de Borée [1]. » Comme toujours, la multiplicité des explications, souvent contradictoires, recouvre une valeur primitive indiscutée. Mais la valorisation est ici ambiguë : elle réunit les pensées de la suppression d'un mal et de la production d'un bien. Elle est donc très susceptible de nous faire comprendre la dialectique exacte de la purification objective.

III

Voyons maintenant la région où le feu est pur. C'est, semble-t-il, à sa limite, à la pointe de la

---

1. Virgile, *Géorgiques*, livre I, vers 84 et suiv.

flamme, où la couleur fait place à une vibration presque invisible. Alors le feu se dématérialise, se déréalise ; il devient esprit.

D'un autre côté, ce qui ralentit la purification de l'idée de feu, c'est que le feu laisse des cendres. Les cendres sont souvent considérées comme de véritables excréments. Ainsi Pierre Fabre croit que l'Alchimie était, dans les premiers temps de l'humanité [1], « bien puissante par la puissance de son feu naturel... aussi voyait-on toutes choses durer davantage qu'on ne voit à présent, puisque ce feu naturel est beaucoup affaibli par la société d'une grande et énorme quantité d'excréments qu'il ne peut rejeter, qui lui causent son entière extinction dans une infinité d'individus particuliers ». D'où la nécessité de renouveler le feu, de revenir au feu originel qui est le feu pur.

Vice versa, quand on soupçonne l'*impureté* du feu, on veut, à toute force, déceler ses résidus. Ainsi l'on estime que le *feu normal du sang* est d'une grande pureté : dans le sang « réside ce feu vivifiant par qui l'homme existe, aussi est-il toujours le dernier à se corrompre ; et quand il arrive à la corruption, ce n'est que quelques instants après la mort [2]. » Mais la fièvre est la marque d'une impureté dans le feu du sang ; elle est la marque d'un soufre impur. Aussi il ne faut pas s'étonner que la fièvre enduise « les conduits de la respiration, et principalement la langue et les lèvres, d'une fuliginosité noire et brûlée [3] ». On voit ici quelle puissance d'explica-

1. Pierre-Jean Fabre, *loc. cit.*, p. 6.
2. De Malon, *Le Conservateur du sang humain*, Paris, 1767, p. 135.
3. De Pezanson, *Nouveau Traité des fièvres*, Paris, 1690, pp. 30, 49.

tion peut avoir une métaphore pour un esprit
naïf quand cette métaphore travaille sur un thème
essentiel comme celui du feu.

Le même auteur a préparé sa théorie des fièvres
en se référant, comme à une évidence indiscutable,
à la distinction du feu pur et du feu impur. « Il
y a dans la nature deux sortes de feux ; l'un qui
se fait d'un soufre très pur, séparé de toutes les
parties terrestres et grossières, comme celui de
l'esprit de vin, celui de la foudre, etc., et l'autre
qui se fait de soufres grossiers et impurs, parce
qu'ils sont mêlés de terre et de sels, tels que sont
les feux qui se font du bois et des matières bitumi-
neuses. Le foyer où on les fait brûler nous semble
marquer assez bien cette différence ; car le premier
feu n'y laisse aucune matière sensible dont il fasse
la séparation, tout étant consumé par la combustion. Mais le feu du dernier ordre produit en s'allu-
mant une fumée considérable, et laisse dans les
tuyaux des cheminées une grande quantité de suie...
et de terre inutile. » C'est cette constatation vulgaire qui suffit à notre médecin pour donner une
caractéristique de l'impureté d'un sang fiévreux
dominé accidentellement par le *feu impur*. Un
autre médecin dit encore : « c'est un feu brûlant,
et chargeant la langue de siccité et de suie » qui
rend les fièvres si malignes.

On le voit, sur les formes phénoménales les plus
élémentaires se constitue la phénoménologie de
la pureté et de l'impureté du feu. Nous n'en avons
donné que quelques-unes, à titre d'exemples et
nous avons peut-être déjà fatigué la patience du
lecteur. Mais cette impatience, à elle seule, est

un signe : on voudrait que le règne des valeurs fût
un règne fermé. On voudrait juger des valeurs sans
souci des significations empiriques premières. Or
il semble bien que beaucoup de valeurs ne font
que perpétuer le privilège de certaines expériences
objectives, de sorte qu'il y a un mélange inextricable des faits et des valeurs. C'est ce mélange
qu'une psychanalyse de la connaissance objective
doit séparer. Quand l'imagination aura « précipité »
les éléments matérialistes irraisonnés, elle aura
plus de liberté pour la construction des expériences scientifiques nouvelles.

IV

Mais la véritable idéalisation du feu se forme
en suivant la dialectique phénoménologique du
feu et de la lumière. Comme toutes les dialectiques
sensibles que nous trouvons à la base de la sublimation dialectique, l'idéalisation du feu par la
lumière repose sur une contradiction phénomé-
nale : parfois le feu brille sans brûler ; alors sa
valeur est toute pureté. Pour Rilke : Être aimé
veut dire se consumer dans la flamme ; aimer c'est
luire d'une lumière inépuisable. » Car aimer, c'est
échapper au doute, c'est vivre dans l'évidence du
cœur.

Cette idéalisation du feu dans la lumière paraît
bien être le principe de la transcendance novali-
sienne quand on veut saisir ce principe aussi près

que possible des phénomènes. Novalis dit en effet :
« La lumière est le génie du phénomène igné. »
La lumière n'est pas seulement un symbole mais
un agent de la pureté. « Là où la lumière ne trouve
rien à faire, rien à séparer, rien à unir, elle passe.
Ce qui ne peut être séparé ni uni est simple, pur. »
Dans les espaces infinis, la lumière ne fait donc
rien. Elle attend l'œil. Elle attend l'âme. Elle est
donc la base de l'illumination spirituelle. Jamais
peut-être on n'a tiré autant de pensée d'un phénomène physique que Novalis quand il décrit le
passage du feu intime à la lumière céleste. Des
êtres qui ont vécu par la flamme première d'un
amour terrestre finissent dans l'exaltation de la
pure lumière. Cette voie de l'autopurification est
indiquée nettement par Gaston Derycke dans son
article sur l'*Expérience romantique* [1]. Il cite précisément Novalis : « Assurément j'étais trop dépen-
dant de cette vie, — un puissant correctif était
nécessaire... Mon amour s'est transformé en flamme, et cette flamme consume peu à peu tout ce qui
est terrestre en moi. »

Le calorisme novalisien, dont nous avons indiqué suffisamment la profondeur, se sublime en
une vision illuminée. C'était là une sorte de nécessité matérielle : on ne voit pas d'autre idéalisation possible pour l'amour de Novalis que cet
illuminisme. Peut-être serait-il intéressant de
considérer un illuminisme plus coordonné comme
celui de Swedenborg et de se demander si derrière
cette vie, dans une lumière primitive, on ne pour-

---

1. Voir *Cahiers du Sud*, numéro mai 1937, p. 25.

rait déceler une vie plus modestement terrestre. Le feu swedenborgien laisse-t-il des cendres? Résoudre cette question serait développer la réciproque de toutes les thèses que nous avons présentées dans ce livre. Il nous a suffi de prouver que de telles questions ont un sens et qu'il y aurait intérêt à doubler l'étude psychologique de la rêverie par l'étude objective des images qui nous enchantent.

Conclusion

Si le présent travail pouvait être retenu comme base d'une physique ou d'une chimie de la rêverie, comme esquisse d'une détermination des conditions objectives de la rêverie, il devrait préparer des instruments pour une critique littéraire objective dans le sens le plus précis du terme. Il devrait montrer que les métaphores ne sont pas de simples idéalisations qui partent, comme des fusées, pour éclater au ciel en étalant leur insignifiance, mais qu'au contraire les métaphores s'appellent et se coordonnent plus que les sensations, au point qu'un esprit poétique est purement et simplement une syntaxe des métaphores. Chaque poète devrait alors donner lieu à un *diagramme* qui indiquerait le sens et la symétrie de ses coordinations métaphoriques, exactement comme le diagramme d'une fleur fixe le sens et les symétries de son action florale. Il n'y a pas de *fleur réelle* sans cette convenance géométrique. De même, il n'y a pas de floraison poétique sans une certaine synthèse d'images poétiques. Il ne faudrait cependant pas voir dans

cette thèse une volonté de limiter la liberté poétique, d'imposer une logique, ou une réalité ce qui
est la même chose, à la création du poète. C'est
après coup, objectivement, après l'épanouisse-
ment, que nous croyons découvrir le réalisme
et la logique intime d'une œuvre poétique. Parfois
des images vraiment diverses, qu'on croyait hos-
tiles, hétéroclites, dissolvantes, viennent se fondre
en une image adorable. Les mosaïques les plus
étranges du surréalisme ont soudain des gestes
continus ; un chatoiement révèle une lumière
profonde ; un regard qui scintille d'ironie a soudain une coulée de tendresse : l'eau d'une larme
sur le feu d'un aveu. Telle est donc l'action décisive de l'imagination : d'un monstre, elle fait un
nouveau-né !

Mais un *diagramme poétique* n'est pas simplement un dessin : il doit trouver le moyen d'inté-
grer les hésitations, les ambiguïtés qui, seules,
peuvent nous libérer du réalisme, nous permettre
de rêver ; et c'est ici que la tâche que nous entre-
voyons prend toute sa difficulté et tout son prix.
On ne fait pas de poésie au sein d'une unité :
l'unique n'a pas de propriété poétique. Si l'on
ne peut faire mieux et atteindre tout de suite à
la multiplicité ordonnée, on peut se servir de la
dialectique, comme d'un fracas qui réveille les
résonances endormies. « L'agitation de la dialectique de la pensée, remarque très justement
Armand Petitjean, avec ou sans images, sert
comme nulle autre à déterminer l'Imagination. »
En tout cas, avant toute chose, il faut briser les
élans d'une expression réflexe, psychanalyser les

images familières pour accéder aux métaphores et surtout aux métaphores de métaphores. Alors on comprendra que Petitjean ait pu écrire que l'Imagination échappe aux déterminations de la psychologie — psychanalyse comprise — et qu'elle constitue un règne autochtone, autogène. Nous souscrivons à cette vue : plus que la volonté, plus que l'élan vital, l'Imagination est la force même de la production psychique. Psychiquement, nous sommes créés par notre rêverie. Créés et limités par notre rêverie, car c'est la rêverie qui dessine les derniers confins de notre esprit. L'imagination travaille à son sommet, comme une flamme, et c'est dans la région de la métaphore de métaphore, dans la région dadaïste où le rêve, comme l'a vu Tristan Tzara, est l'essai d'une expérience, quand la rêverie transforme des formes préalablement transformées, qu'on doit chercher le secret des énergies mutantes. Il faut donc bien trouver le moyen de s'installer à l'endroit où l'impulsion originelle se divise, tentée sans doute par une anarchie personnelle, mais obligée quand même à la séduction d'autrui. Pour être heureux, il faut penser au bonheur d'un autre. Il y a ainsi une altérité dans les jouissances les plus égoïstes. Le diagramme poétique doit donc susciter une *décomposition* des forces, en rompant avec l'idéal naïf, l'idéal égoïste, de l'unité de composition. C'est alors le problème même de la vie créatrice : comment avoir un avenir en n'oubliant pas le passé ? comment obtenir que la passion s'illumine sans se refroidir ?

Or, si l'image ne devient psychiquement active

que par les métaphores qui la *décomposent*, si elle ne crée du psychisme vraiment nouveau que dans les transformations les plus poussées, dans la région de la métaphore de métaphore, on comprendra l'énorme production poétique des images du feu. Nous avons en effet essayé de montrer que le feu est, parmi les facteurs d'images, le plus *dialectisé*. Lui seul est *sujet et objet*. Quand on va au fond d'un animisme, on trouve toujours un calorisme. Ce que je reconnais de vivant, d'immédiatement vivant, c'est ce que je reconnais comme chaud. La chaleur est la preuve par excellence de la richesse et de la permanence substantielles ; elle seule donne un sens immédiat à l'intensité vitale, à l'intensité d'être. A côté de l'intensité du feu intime, combien les autres intensités sensibles sont détendues, inertes, statiques, sans destin! Elles ne sont pas de réelles croissances. Elles ne tiennent pas leur promesse. Elles ne s'activent pas dans une flamme et dans une lumière qui symbolisent la transcendance.

Puis, ainsi que nous l'avons vu en détail, comme une réplique de cette dialectique fondamentale du sujet et de l'objet, c'est en toutes ses propriétés que le feu intime se dialectise. C'est au point qu'il suffit de s'enflammer pour se contredire. Dès qu'un sentiment monte à la tonalité du feu, dès qu'il s'expose, en sa violence, dans les métaphysiques du feu, on peut être sûr qu'il va accumuler une somme de contraires. Alors l'être aimant veut être pur et ardent, unique et universel, dramatique et fidèle, instantané et permanent.

Avant l'énorme tentation, la Pasiphaé de Vielé-Griffin murmure :

Un souffle chaud m'empourpre, un grand frisson me glace.

Impossible d'échapper à cette dialectique : avoir conscience de brûler, c'est se refroidir ; sentir une intensité, c'est la diminuer : il faut être intensité sans le savoir. Telle est la loi amère de l'homme agissant.

Cette ambiguïté est seule propre à rendre compte des hésitations passionnelles. De sorte que finalement tous les *complexes* liés au feu sont des complexes douloureux, des complexes à la fois névrosants et poétisants, des complexes renversables : on peut trouver le paradis dans son mouvement ou dans son repos, dans la flamme ou dans la cendre.

> *Dans la clairière de tes yeux*
> *Montre les ravages du feu ses œuvres d'inspiré*
> *Et le paradis de sa cendre.*
>
> Paul Eluard.

Prendre le feu ou se donner au feu, anéantir ou s'anéantir, suivre le complexe de Prométhée ou le complexe d'Empédocle, tel est le virement psychologique qui convertit toutes les valeurs, qui montre aussi la discorde des valeurs. Comment mieux prouver que le feu est l'occasion, au sens très précis de C. G. Jung, « d'un complexe archaïque fécond » et qu'une psychanalyse spéciale doit en détruire les douloureuses ambiguïtés pour mieux dégager les dialectiques alertes qui donnent à la rêverie sa vraie liberté et sa vraie fonction de psychisme créateur?

11 décembre 1937.